名探偵コナン

黒ずくめの組織セレクション　黒の策略（コンスピラシー）

酒井 匙／著
青山剛昌／原作・イラスト

★小学館ジュニア文庫★

黒ずくめの組織との再会

DETECTIVE CONAN

BLACK ORGANIZATION SELECTION

雪のちらつく冬の午後。

江戸川コナンは、少年探偵団のメンバーと共に下校していた。

「おい観たかよ、昨日の試合！」

小嶋元太が威勢よく話題を切り出す。話題は、昨夜テレビで放映されたサッカーの試合のことだ。

「ああ…ヒデのオーバーヘッドだろ？」

コナンが、サッカーボールをポンポンと続けて蹴りながら答える。

「芸術的でしたよねー!!」

円谷光彦が、はしゃいだ声をあげる。吉田歩美と灰原哀も会話に加わり、五人は歩調を合わせながら、通学路を歩いて行った。

そんな平和な光景を、停止した車の中から見つめる長髪の男がいる。

黒ずくめの組織の幹部——ジンだ。

ジンは運転席からルームミラーごしに灰原の姿をとらえると、薄笑いを浮かべた。

「戯事は終わりだ…」

ささやくようにつぶやき、車を降りる。そして、タバコに火を着けると、歩いて行く灰原に向かって、不気味に語りかけた。

「さぁ、夢から醒めて…おまえの好きな緋色で…再会を祝おうじゃないか…。なぁ…シェリー…」


はっと目を覚ますと、灰原は自分のベッドの上にいた。

ハァ、ハァ、ハァ、ハァ――

息をつきながら、身体を起こす。隣のベッドでは阿笠博士が、のんきに寝息を立てていた。

どうやら、ジンに見つかったと思ったのは、ただの夢だったらしい。ジンが呼びかけた『シェリー』という名前は、子供の姿になる前の灰原が、組織から与えられていたコードネームだ。

下校中にジンに見つかるなんて、考えただけでぞっとしてしまう。自分の身だけでなく、少年探偵団たちまでも、危険にさらしてしまうかもしれないのだ。

灰原は、前髪をかきあげると、フッと苦笑した。

（いやな夢…）


翌朝。

昨夜の夢のようにジンに見つかることもなく、灰原はいつも通りに小学校へと登校した。

教室に入ると、光彦と元太が待ちかねていたようにやって来る。

「はい！　お借りしてたゲーム…」

そう言って、光彦はラベルの貼られたメモリーを差し出した。このメモリーの中には、博士の作ったオリジナルのTVゲームが保存されているのだ。

「博士に言っといてください！　今回のゲームは期待以上でしたって！」

光彦が明るく言い、元太は、

「ボスキャラはイマイチだったけどな！」

と、つけくわえた。

「ええ…伝えとくわ…」

灰原はうなずいて、ゲームを受け取った。

「わー！　見て見て！　雪だよ！　雪！」

窓際にいた歩美が、はしゃいだ声をあげる。

見ると、窓の外には雪が降り始めていた。その空模様は、昨夜見た悪夢の景色にそっくりだ。雪がちらつく中でジンが口にしていた言葉が、灰原の脳裏をよぎった。

——おまえの好きな緋色で…再会を祝おうじゃないか…。なぁ…シェリー…。

夢の中と同じように、現実でも雪が降って来るなんて——なんだか、ジンに見つかったことまでもが、現実になってしまう気がしてくる。

「ホラ、灰原さんも窓のそばで雪、見ようよ！」

「わ…私に触らないで!!!」

歩美に腕を取られ、灰原はとっさに大声を出した。

「は、灰原さん？」

歩美が驚いて灰原の顔をのぞきこむ。光彦と元太も、いつもクールな灰原が突然大きな声を出したので、驚いているようだった。

「もううんざりだわ、こんな所…。すぐにでもここから消えてしまいたいぐらい…。まあその内、そうなるでしょうけど…」

灰原がつぶやくと、歩美は「えーっ」と大きな声をあげた。

「灰原さん、転校しちゃうの？」

「もしかして、誰かにイジメられているんですか？」

「そんな奴、オレがやっつけてやるからよォ!!」

光彦と元太が口々に言い、歩美は目に涙まで浮かべて、灰原に詰め寄った。

「だから、どっか行っちゃうなんて言わないで!!」

少年探偵団たちは灰原が転校すると勘違いをして、一生懸命に引き留めようとしてくる。

灰原はすっかり気が抜けてしまった。

「冗談よ…本気にしないで…。ちょっとカゼ気味だから、イライラしてただけ…。うつしたくないしね…」

灰原がそう言ってごまかすと、元太も光彦も、ほっとしたように身体から力を抜いた。

「なんだ、カゼかよ…」

「病気になると人間、弱気になるって言いますし…」

「さあさあ！　カゼひきさんは保健室、保健室！」

歩美が灰原の肩を押し、保健室に連れて行こうとする。

教室の隅で、灰原たちのやり取りを聞いていたコナンは、

「……………」

と、何かに気付いたような表情を浮かべていた。

下校する時刻になっても、まだ雪は降り続いていた。

「ゆーきや、コンコ♪　あられや、コンコ♪」

元太と光彦、歩美は、落ちて来る雪に触れながら、キャッキャとはしゃいでいる。そんな三人の後ろを歩きながら、灰原の気持ちは沈んでいた。

「〝ここは自分のいるべき場所じゃない…。この子達を巻き添えにしないためにも、早くここから消えなければ…〟…なーんてくだらねー事考えてんだろ？」

隣を歩くコナンに声をかけられ、灰原は驚いて「え？」と顔を向けた。

「大丈夫、薬で体が縮んだなんて夢物語、普通、誰も信じねーし思いつきもしねーよ！　バレないためにも、このまま子供を演じ続けなきゃいけねーんだ…」

コナンはサッカーボールをポンポン蹴りながら言うと、きゅっと目を細め、「その時が来るまでな…」と力強いまなざしを灰原に向けた。

「心配すんなよ！　ヤバくなったら、オレがなんとかしてやっからよ！」

やがて一行は、十字路に差しかかった。元太と光彦、歩美の家の方角は、コナンと灰原とは別方向だ。

「じゃあな！」

「また明日！」

「バイバーイ！」

元太、光彦、歩美が口々に言って、コナンと灰原に手を振る。

「おう！」

コナンは軽い調子で答えると、三人と別れ、灰原と一緒に歩き出した。

（工藤君…あなた何もわかってないのね…）

灰原は、隣を歩くコナンに向かって、心の中で語りかけた。

（あなた一人で、どうにかできる相手じゃないのよ…。スキを見せたら最期…組織は私達を逃さないわ…。そう、もしかしたらあの夢のように…今もこの街のどこかで…私達の事を…)

その時、灰原は驚いて足を止めた。

路肩に、見覚えのある外車が停まっていたのだ。

突然立ち止まった灰原に、コナンが不思議そうに声をかける。

「なんだ？　あの黒いポルシェがどうかしたのか？」

コナンはポルシェに近づくと、車内の様子をうかがった。

「ポルシェ356A…50年前のクラシックカーだ…。持ち主は出掛けてるみてーだな…。TVや本でしか見た事ねーけど、いるんだな。こんな古い車に乗ってる奴…」

「ジン…」

灰原は手のひらをきゅっと握りしめ、小さな声でつぶやいた。

「え？」

「ジンの愛車もこの車なのよ…」

(な、に!?)

コナンは急に緊張して、奥歯をギリッと噛みしめた。

このポルシェが本当にジンの車なら、こうしている今も、どこかすぐ近くにジンがいるかもしれない。

灰原も、けわしい表情を浮かべ、

(そう…夢にも出て来たこの車…)

と、心の中でつぶやいた。昨夜見た悪夢でも、やっぱりジンは同じ黒いポルシェに乗っていたのだ。

コナンは携帯電話を取り出すと、どこかへ電話をかけ始めた。

「ちょっと何を…?」

灰原が止めようとするが、コナンは無視して、携帯電話を耳にあてた。

「あ、博士か? 今からオレが言う物を持って、四丁目の交差点に来てくれ! 説明は後だ!! 急いで!!!」


コナンからの電話を受け、阿笠博士はすぐに車で駆け付けてくれた。

「おーい…」

到着した阿笠博士はポルシェの後方に車を停め、運転席からコナンに向かって手を振った。コナンは大急ぎで駆け寄り、助手席側のドアを開けた。

「例の物、持って来たか？」

「ああ…針金のハンガーとペンチ…。何に使うんじゃ、こんな物…」

答えるのももどかしく、コナンは阿笠博士からハンガーとペンチを受け取ると、ハンガーの先をペンチでグニッと曲げた。そして、折れ曲がったハンガーを持って、ポルシェのもとへと走った。

「お、おい！　まさか…」

阿笠博士が慌てて後を追い、人目を気にしながら「こ、これ！」とコナンに声をかける。

しかしコナンは構わず、

「昔の車は、これをこうすると…」

と、ポルシェの助手席側の窓の隙間にハンガーを差し込んだ。そのまま何度か角度をつけて動かす。すると、ガコッと音がして、ドアのロックが外れた。

「ちょ、ちょっと…いったい何をする気？」

灰原が止めようとするのも聞かず、コナンはドアを開けて、車の中へ入り込んだ。

「車の中に、発信器と盗聴器を仕掛けるんだよ！」

「でもまだ彼の車だと決まったわけじゃ…」

言いかけた灰原の視線が、通りの向こうに釘付けになった。

「ん？　どーした？」

コナンに聞かれ、灰原は震える声で答えた。

「と、通りの向こう…」

道路を渡った先に立っているのは、ジンとウォッカだった。

二人はガードレールの間を通ると、悠々と道路を横断してくる。やはり、このポルシェはジンの車だったのだ。

(こっちに来る!!)

コナンと灰原は、慌てて車の外に出ると、後輪の陰に隠れた。

歩いてきたジンは、異変に気が付いて「ん？」とつぶやいた。

「車の周り…雪がやけに荒れてるな…」

「通行人が見てたんじゃないんですかい？　兄貴の車、珍しいから…」

ウォッカが言うと、ジンはまんざらでもなさそうに「フン…」と鼻を鳴らした。

「ドイツの雨ガエルも…偉くなったもんだ…」

（大当たり…まさかこんな所で会えるとはな…）

コナンは車の陰に身を潜めたまま、心の中でジンに語りかけた。興奮で、胸の鼓動がドックンドックンとどんどん大きくなっていく。

（うれしいぜ…ジン!!!）

ジンとウォッカがポルシェに乗って走り去ると、コナンと灰原は、停車していた阿笠博士の車に乗り込んだ。

「どうする、新一君？　すぐ後をつけるか？」

運転席の阿笠博士が、助手席のコナンに向かって、緊張した面持ちで聞く。

「いや…車間を空けてこの追跡装置で追うんだ！　このビートルのナンバーを控えられたら、洒落にならねーからな…」

そう言うと、コナンは眼鏡のツルにあるボタンをピポッと押した。すると、左目のレンズに地図が表示され、さっきジンの車につけた発信器の居場所が小さな点で表示される。

このメガネは、犯人につけた発信器を追跡できるよう、阿笠博士が特別に作ってくれたものなのだ。

コナンの指示に従い、阿笠博士は車を走らせ始めた。慎重に距離を取りながら、ジンの車を追いかける。コナンは発信器の位置を確かめながら、同時に盗聴器で車内の物音も聞いていた。

後部座席に座っている灰原は、シラケた表情で「無駄よ…」とつぶやいた。

「彼らの居場所をつきとめたところで、どーする事もできないわよ、こんな体じゃ…。あなた、わかってるの？　今、自分がどんなに危険な行動をしているか…」

「うるせー、黙ってろ‼」

コナンが口調を荒らげる。

と、その時、車内に仕掛けた盗聴器から、ピリリ…と電子音が聞こえてきた。

(電話？)

コナンは、盗聴器が拾う音を聞くことに集中した。

ジンが、携帯電話に応答する声が、聞こえてくる。

『ああオレだ…どうだ、そっちの様子は…？　なに、まだ来ない？　フン、心配するな…標的は18時ちょうどに杯戸シティホテルに顔を出す…。てめえの別れの会になるとも知らずにな…』

（ターゲット？　別れの会？）

ジンと電話相手との会話を聞きながら、コナンは身体を固くした。彼らはどうやらこれから、杯戸シティホテルで、ターゲットを始末しようとしているらしい。

『とにかく、奴の手が後ろに回る前に口を塞げとの命令だ…。ぬかるなよ、ピスコ…。なんなら例の薬を使っても構わねーぜ…』

ジンが言うのを聞いて、コナンは「ピ、ピスコだと!?」と驚いて叫んだ。

「そのコードネームなら耳にした事があるわ…会った事はないけどね…」

後部座席の灰原が冷静に言う。ジンの電話の相手であるピスコも、黒ずくめの組織の一員なのだ。


ピスコとの電話を終えたジンは、ふと、車内に見慣れない髪の毛が落ちていることに気が付いた。長さからして、ジンやウォッカのものではないだろう。ジンは髪の毛を拾い、まじまじと観察した。

（赤みがかった茶髪…？）

ジンは、座席の周囲を調べ始めた。

「あ、兄貴？」

ウォッカは状況が飲み込めず、怪訝そうだ。

ジンはすぐに、座席の裏側にガムが張り付けられていることに気が付いた。ガムには、小さな機械が二つ、くっついている。

「な、なんですか、それ…？」

「たぶん発信器と盗聴器だ…」

そう言うと、ジンは発信器と盗聴器をバキッと指の先で握りつぶし、「クックックッ…」と楽しげな笑みを漏らした。

車内に落ちていた、赤みがかった茶髪——これが灰原のものだと、ジンにはすでにわかっている。

灰原のことを思い浮かべ、ジンは冷たい笑みを浮かべた。

（まさかおまえの方から出向いて来てくれるとはな…。歓迎するぜ…シェリー……）

「やばい、バレた!!」

仕掛けた盗聴器を通して、ジンが盗聴器と発信器に気付いたことを知り、コナンは焦った。その直後、バキッと音がして、盗聴器の音が何も聞こえなくなってしまう。せっかく仕掛けた盗聴器だが、おそらく発信器と一緒に壊されてしまったのだろう。

これで、彼らの会話を聞くことも、追跡することもできなくなってしまった。

「どうする気？　状況はかなり悪いわよ…」

後部座席の灰原が、腕組みをして聞く。

「発信器も盗聴器も彼らに潰されて、追跡不可能…。しかも、それを彼らの車に取りつけるためにあなたが使ったチューインガムは彼らの手の中…もしあれが調べられたら…」

「大丈夫だよ！　歯形は消したし…それに車内の指紋もふき取ってあるしな…」

「だったらすぐに横道に入って、彼らの車から離れるのね…このまま漠然と彼らの車が通った道をたどるのは危険だわ…」

灰原に忠告され、コナンは「ああ…」とうなずきつつも、挑戦的な表情のまま続けた。

「追跡はやめるが、逃げる気はねーよ…」

「え？」

「杯戸シティホテル…そこで奴らは、ピスコって奴に誰かを暗殺させる気だ…。とにかくその殺人を阻止するためにも、そのホテルに行って…」

「あら…正義感が強いのね」

灰原は、あきれたように目を細めた。

「私はごめんだわ…。正義なんて抽象的な事に、興味はないし…そんな危ない所にわざわざ出向いて、どうにかできるとも思えないし…」

「ああ…ハナからこっちもそのつもりだ…。子供の頃の顔を奴らに知られているおまえを、現場に連れて行くのは危険だからな…。まあ、おまえは博士と車の中で待ってろよ！　最悪でも例の薬ぐれーは取って来てやっからよ！」

薬という言葉を聞くなり、灰原は怪訝そうな表情を浮かべ、「例の薬…？」と尋ねながらコナンの方へと身を乗り出した。

「恐らくＡＰＴＸ４８６９…オレ達の体を小さくしたあの毒薬だ…。ジンが電話でピスコって奴に言ってたんだよ…『例の薬を使っても構わねぇ』ってな！」

灰原は小さく息をのんだ。組織が暗殺にＡＰＴＸ４８６９を使おうとしているのであれば、灰原と無関係な話ではなくなってくる。ＡＰＴＸ４８６９は、灰原が組織の命令で作った薬なのだ。

ジンは道路の端に車を停めると、ほかにも何か仕掛けられていないかウォッカに調べさせた。ウォッカがボンネットの中まで念入りに調べる間、ジンは離れた所に立って、改めてピスコに電話をかけた。シェリーが自分の周りをうろついていることを知らせるためだ。

「ああそうだ…シェリーだ…組織を裏切ったあの女が今そっちに向かっているはずだ…。面がわからねーんなら、組織のコンピュータに検索をかけろ…。女が仕掛けた盗聴器と発信器が他にもないか、確認した後でオレ達もそっちへ合流する…」

電話の向こうでピスコが何かを言うと、ジンは「ああ…間違いない…」とうなずいた。

「あの女は来るさ…。例の薬の事を匂わしたからな…。もちろんあの『出来損いの名探偵』を使うかどうかはおまえの勝手だが…とにかく、女を見つけ次第、取っ捕まえて面を拝ませろ…」

さらにピスコが何かを言う。

するとジンは、暗い色の空に視線を向け、残酷に笑って続けた。

「ああ…問題はない…。首から下がなくてもな…」


ジンは杯戸シティホテルで、シェリーを始末しようとしている——

自分の身にも危険が迫るかもしれないことを承知の上で、灰原は、コナンと共に杯戸シティホテルへとやって来た。今日このホテルで行われる催しをレセプションで確認すると、『映画監督　酒巻昭氏を偲ぶ会』が開場中だ。

さっそくホールに向かうと、受付には人がまばらに並んでいるものの、すでに開宴時間を過ぎていることもあって、さほど混雑してはいなかった。入場時のチェックは厳しくなさそうだ。子供二人くらいなら、簡単に潜り込めるだろう。

「——ったく…興味はないんじゃなかったのか？」

物陰に隠れて会場に入るタイミングをうかがいながら、コナンはあきれ混じりに灰原へ声をかけた。

「仕方ないじゃない…。あの薬を作ったのはこの私…もうあなたに人殺し呼ばわりされたくないもの…」

「気をつけろよ…発信器を仕掛けた主がここに来る事ぐらい、奴らにも読める…。おまえが関わっていると奴らに感づかれたら…」

「大丈夫よ…証拠は消したんでしょ？　イタズラか、せいぜい組織に敵対する誰かが仕掛けたと思うぐらいよ…」

その時、来客たちの集団が会場から出て来た。彼らが去ると、入り口付近には人がいなくなった。人目につかずに会場の中に入り込むには、今がチャンスだ。

コナンと灰原はそっと物陰から出ると、さりげなく入口に近づいた。

「それより本当にこの会場で合っているの？」

「ああ…奴は別れの会って言ってたからな…。ピスコって奴もそいつが狙う標的も、ここに来ているはず…」

そう言って、コナンは、入口の前に置かれた『映画監督　酒巻昭氏を偲ぶ会』の看板に視線をやった。今日このホテルで行われる催しはいくつかあったが、『別れの会』と呼べそうなのは、この『映画監督　酒巻昭氏を偲ぶ会』だけだ。

「おしゃべりはここまでだ…乗り込むぜ…」

コナンは緊張した面持ちで、扉を開けた。

ホールの中では、立食式のパーティーが行われていた。正装した来客たちが、あちこちで談笑している。コナンはホールの中をぐるりと眺めて、もどかしそうな表情を浮かべた。

（くそっ、偲ぶ会だけあって黒服の奴らでいっぱいだ…。どいつもこいつも怪しく見えてきやがる…）

一方、灰原は、会場の中に入った途端、とてつもない恐怖に襲われていた。

ドックン、ドックン……

胸の鼓動が、どんどん速まっていく。この中に組織の連中がいるかもしれないと思うと、急に身体がすくんでしまう。

脳裏に浮かぶのは、昨夜の悪夢。コナンたちと下校中、ジンに遭遇してしまった時の光景だ。

（シェリー…）

ジンは路地裏に子供たちを追い詰めると、灰原のコードネームを呼びながら、ゆっくりと銃を構えた。

（シェリー…）

銃口が、灰原たちの方を向く。

（シェリー…）

ジンの指が引き金を引く。まず撃たれたのはコナンだった。子供たちが次々と撃たれ、ジンはたちまち返り血に染まる――そんな恐ろしい光景が頭にとりついて離れず、灰原はじっとりと冷や汗をかいてその場に立ち尽くした。

ガッ！

肩を誰かにつかまれる。驚いて振り返ると、そこに立っていたのは、会場の給仕係らしき女性だった。

「どうしたの、お嬢ちゃん？　パパやママとはぐれたの？」

優しく声をかけられても、灰原は上手く反応できず、「あ、あ…」と言葉にならない声をもらすことしかできなかった。

「うん…今二人で捜してるトコ…」

コナンが助けに入ってごまかし、「行こ、花ちゃん！」と灰原の手を引いてその場を離れる。会場の隅へと移動してから、コナンは不可解そうに灰原に声をかけた。

「おい、どーしたんだよ？　おまえらしくねーな…一緒に行くって言ったのはオメーだろ？」

「見たのよ……。イヤな夢…」

「夢？」

「下校途中で彼らに見つかって、路地裏に追い込まれて…。真っ先に撃たれたのはあなた…そしてピストルの乾いた音と共に次々と…。そう…みんな私に関わったばっかりに…」

うつむいたまま、暗い声で言うと、灰原は「フッ…」と小さく笑った。

「私…あのままガス室で、彼らに処刑されていた方が楽だったのかもしれないわね…」

組織の命令に逆らって研究を中断した灰原は、ジンたちによって拘束され、ガス室で始末されそうになった。灰原は死を覚悟して、どうせ殺されるのならと、隠し持っていたAPTX4869を口にした。しかし灰原は死なず、コナンと同じように身体が小さくなった。そのおかげでガス室を脱出して、組織から逃げ出すことが出来たのだ。

もしあの時に死んでいれば、コナンや阿笠博士や、少年探偵団たちを危険に巻き込むことはなかったはずだ。

灰原は自分を責め、うつむいた。

次の瞬間、視界が急に明るくなる。

コナンが、自分の眼鏡を灰原にかけたのだ。

「え？」

「知ってるか？　そいつをかけてると、正体が絶対バレねーんだ！　クラーク・ケントもびっくりの優れ物なんだぜ？」

ウィンクして言うと、コナンは歯を見せてニカっと笑った。つられるようにして、灰原の表情にも力が戻る。

「あら…。じゃあ眼鏡をとったあなたはスーパーマンってわけ？」

クラーク・ケントは、スーパーマンの本名。スーパーマンであることを周囲に隠すため、普段のクラーク・ケントはいつも眼鏡をかけているのだ。

灰原は落ち着きを取り戻すと、眼鏡のフレームを押し上げた。

「ありがとう…気休め程度にはなるわ…」

皮肉めいた言い方をされ、コナンがあきれた表情を浮かべる。

「おまえ…。カワイクねーな…マジで…」

その頃。

ジンとウォッカは、杯戸シティホテルに向けて車を走らせていた。

「でも兄貴…あの女、本当に来るんですかい？」

助手席に座ったウォッカが、ハンドルを握るジンに不安げに尋ねる。

「ああ…奴はそういう女だ。必ず止めに来る…。オレ達に出迎えられるとも知らずにな…。

まぁ万に一つ来なかったとしても、奴が米花町近辺に潜んでいるのはわかった…」

淡々と言うと、ジンはタバコに火を着けて続けた。

「家の目星がつけば狩るのは造作もない…。裏切り者は匂いを消せねぇからな…」


コナンと灰原は、酒巻監督を偲ぶ会に来ている招待客たちを観察して回った。この中の誰かが、ジンたちの言う『ピスコ』のはずだ。

有名監督を偲ぶ会だけあって、会場には多くの著名人の姿がある。

「直本賞の女流作家に…プロ野球の球団オーナーに…敏腕音楽プロデューサー…アメリカの人気女優…有名大学教授に…おっと、経済界の大物まで来てる…」

直本賞の女流作家は、南条実果。眼鏡をかけた、神経質そうな三十八歳の女性だ。

プロ野球球団オーナーは、六十二歳の三瓶康夫。大柄であごひげを蓄え、頭を坊主にしている。

音楽プロデューサーは、樽見直哉。サングラスをかけた長髪の男性で、年齢は三十五歳。

アメリカの人気女優は、クリス・ヴィンヤードという名前の二十九歳の女性で、不機嫌そうにシャンパンを飲んでいる。

有名大学教授は、五十八歳の俵芳治。でっぷりと太った中年の男性だ。

そして、経済界の大物とは、枡山憲三。有名な自動車メーカーの会長を務める、穏やかそうな七十一歳の男性だ。

「そうそうたる顔ぶれね…」

「ああ…さすが巨匠を偲ぶ会だ…。TVカメラまで入ってるぜ…」

「それで？　わかったの？　彼らが狙ってる標的…」

「ああ…。ジンが電話で言っていた…6時前後にここへ来て、なおかつ明日にも警察に捕まりそうな人物は…今、入口でレポーターに囲まれているあの男しかいない…」

コナンは、会場の入口でマスコミに囲まれている男性に目を向けた。

「なるほど。今、収賄疑惑で新聞紙上をにぎわしている、あの政治家ってわけね…」

灰原が納得してつぶやく。

マスコミに囲まれ大汗をかいている政治家は、五十六歳の呑口重彦だ。

「捕まる前に口を封じるってことは、あの政治家も組織の一員なのか？」

「さあ、どうかしら…。捕まればわかるんじゃないの？」

コナンと灰原が話していると、目暮十三警部が姿を現した。入口に固まっていたマスコミたちに「ちょっと失礼しますよ…」と声をかけ、会場の中へと入って来る。そばには高木渉刑事の姿もあった。

「あら、目暮警部…」

なぜ目暮警部がここにいるのかと、灰原が不思議そうな顔をする。

「さっきトイレから声を変えて電話で呼んだんだ…。あの政治家の命を狙っている奴が、この会場にいるってな…」

灰原の疑問に答えると、コナンは改めて会場内を見まわした。これでピスコを待ち受ける準備は万全だ。

（さあどうする？　ピスコさんよ…。標的が警察の監視下にあるこの状況で殺人は不可能だぜ？　強引に事を起こそうとすれば、その前に麻酔銃で眠らせてやる!!）

コナンは腕時計型麻酔銃を構え、怪しい動きをする人物がいないか警戒した。

と、その時、偲ぶ会の司会進行をしていた男性が、マイクを手に場内に向かって、「では皆さん！」と語りかけた。四十三歳のアナウンサー、麦倉直道だ。

「酒巻監督が以前、ひた隠しにしておられた秘蔵フィルムをスライドで御覧にいれましょう！」

（ス、スライド……？）

コナンは焦った。用意されていた映写機が運び込まれ、フッと照明が落ちる。会場内は真っ暗になってしまった。

灰原がすぐに入口の方へ視線を走らせ、異変に気付く。

「ちょっと彼、いなくなってるわよ!!」

「なに!?」

見ると確かに、呑口がいなくなっていた。会場が暗くなったタイミングでマスコミの目

をかいくぐり、どこかに移動したらしい。目暮警部と高木刑事も、呑口がいないことに気付き、

「おい早く捜せ!!」

「はっ!!」

と、大慌てで場内を探し始めた。

そうとは知らず、麦倉は、スクリーンに映し出された写真についてマイクで解説を始めた。

「さぁ皆さん！　これはいつどこで撮られたフィルムかわかりますか？　そう…あらゆる賞を独占した酒巻監督の代表作！『虹色のハンカチ』の撮影風景…。まだ監督の髪の毛が寂しくなる前の貴重な一コマでございます！」

麦倉の冗談に、会場内から笑い声が上がる。

一方、コナンは灰原と共に、呑口を探して会場内を走り回っていた。

（くそっ、どこだ!?　どこに行きやがった!?）

その時、パシャ！　という音と共に、会場内が一瞬だけ明るくなった。

（え？　フラッシュ？）

コナンは驚いて足を止める。誰かがフラッシュをたいて写真を撮ったのだろうか？

「あ、どなたか知りませんがいくら貴重な一枚だといっても、フラッシュたいたらスライドは写りませんよ！」

麦倉がすかさず茶化し、また会場内から笑い声が上がる。

すると今度は、どこかで、キュイン……という金属音が鳴った。

（なんだ!?　なんだ今の音？　上か!?）

コナンが天井を見上げた、次の瞬間――

ドッシャァアン!!

ガラスが砕けるような大きな物音が、辺りに響きわたった。

（なに!?）

コナンは驚いて、音のした方へ駆け寄ろうとした。

場内の明かりがつかないので、何が起きたのかはまだわからない。

「おい、どーした!?　なんの音だ!?」

「明かりをつけろ!!」

パニックに陥る招待客たちの間を縫って、コナンは音のした方へ急いだ。そこに、何か柔らかいものが、パサッと頭の上に落ちて来る。

(え？)

手に取ってみると、小さな布の切れ端だった。

(え？　ハ、ハンカチ？)

その時、パッと場内の明かりが点いた。

「キャアアア！」

会場内に、悲鳴が響き渡る。招待客たちはみんな、驚いて身体をこわばらせた。

ガラス製の巨大なシャンデリアが床に落ちて、呑口議員の身体を押しつぶしていたのだ。

「ど、どうしたんですか？」

悲鳴を聞きつけた麦倉が、招待客たちの間から近づいて来た。

「シャ、シャンデリアが、シャンデリアが…」

床に座り込んだ俵が、声を震わせて答える。落ちて来るシャンデリアがかすめたのか、
俵はずっと左肩を押さえていた。

一方、会場にいる大多数の招待客たちは、まだ状況を把握していなかった。クリスは通訳の男性に何があったのかと英語で質問し、枡山と三瓶も、

「何かあったのかね？」

「さあ…」

と要領を得ない会話をしている。

「いったいなんですの？」

南条は不機嫌そうに眉をひそめ、樽見も、

「おい！　誰か説明してくれないか？」

と困惑して周囲を見まわした。

と、そこへ、目暮警部が進み出て「皆さんお静かに！」と声を張り上げた。

「警視庁の目暮です!!　その場から動かんでください!!」

目暮警部は、招待客たちに厳しく命じると、高木刑事に声をかけた。

「おい、どーだ？」

「ダメです…もう息はありません…」

高木刑事が、呑口の様子を調べて、残念そうに答える。

警察の到着があまりに早いので、三瓶は怪しむように目暮警部を見ながらボヤいた。

「あんたらにしては、やけに来るのが早いですなぁ…」

「通報があったんですよ…今夜ここで殺人があると…。誰かがこの呑口議員の命を…狙っているとね!!」

通報というのは、コナンが目暮警部にかけた電話のことだ。

殺人がすでに予告されていたことを知り、招待客がザワザワと動揺し始める。コナンは緊張して、周囲を警戒した。

（いや…誰かじゃない…犯人は奴だ…。オレの体を薬で小さくしやがった、黒ずくめの男の仲間…コードネーム「ピスコ」!! 奴はまだこの会場内にいる!!!）


目暮警部はまず、シャンデリアが落ちて来たとき、会場内のどこに誰がいたのかを確認することにした。亡くなった呑口議員の側にいたのは、俵とクリスだ。

「ホー、なるほど…。ではあなた方ですな、シャンデリアが落ちた時、呑口議員の一番近くにおられたのは…」

目暮警部に確認され、俵は顔色を青くしたまま「ええ…」とうなずいた。

「その時、彼のそばで不審な行動をする人物はいませんでしたか？」

「それどころじゃありませんでしたよ…危うく私も下敷きになるところでしたから…。見てください！　シャンデリアが背広をかすめて、ホラ…」

俵は自分の左肩を見せた。たしかに、背広が裂けてしまっている。一歩間違えれば、俵も呑口と一緒にシャンデリアの下敷きになっていたかもしれない。

通訳の男性が、目暮警部の質問をクリスにも伝える。するとクリスは小さく首をふり、肩をすくめた。

「彼女もそんな人は見ていないと言ってます…」

俵もクリスも、怪しい人物には心当たりがないようだ。「ウーム…」と考え込む目暮警部に、

「事故ですよ、事故！」

と、樽見が横やりを入れた。

「シャンデリアの鎖が古くなって切れて、偶然その政治家が下にいたってわけですよ…。死人が出たこのおぞましい会場に、僕達を留める理由はないと思いますけど？」

「じゃが、殺人を示唆する通報があったんじゃろ？　あれはどう説明するんだね？」

枡山が、やんわりと樽見に反論する。

「我々を詮索する前に、まずは通報者の事を詳しく教えてほしいもんじゃ…。もしかしたら、その通報者が犯人かもしれんからのォ…」

「声を機械で変えているらしく、男女の区別もつきませんでしたよ…」

目暮警部が、渋い表情で言う。コナンは、目暮警部に電話をかける時、蝶ネクタイ型変声機を使ってしっかり声を変えていたのだった。

「じゃあきっとイタズラですよ…。ほら呑口議員、例の疑惑で世間的に反感を買っておれましたし…」

麦倉が言い、三瓶も「そうそう」と同調した。

「そのイタズラに、たまたまこの事故が重なっただけの事…。天罰ですよ！　悪い事はできませんなぁ…」

言いながら、三瓶は会場に用意されていたピラフをモグモグと食べている。

「死体の前でよく食べられますね…」

樽見に皮肉を言われ、三瓶は「フン！」と鼻を鳴らした。

「肝の小せぇ若僧は黙ってろ！」

そう言ってなおもピラフを食べ続けようとするが、口の中で何かがガリッと音を立てた。金属片のようなものが、ピラフの中に混じっていたらしい。三瓶はペッと床に吐き出すと、

「おい誰か！　シェフを呼んで来い!!!」

と、目を吊り上げた。

「どうしました？　ゴキブリでも入ってましたか？　こんな時に食事なんかしてるから、あなたにもバチが当たったんですよ！」

樽見にからかわれ、三瓶は「なんだとォ…」と額に青筋を立てた。

見かねた高木刑事がすかさず「まあまあ…」と仲裁に入る。

コナンはテーブルクロスの下に隠れて腕を伸ばし、指紋が付かないようハンカチを使って、三瓶が吐き出した金属片をこっそり拾った。

(こ、これは…シャンデリアの鎖の破片？　なんであんな所に…)

会場では、目暮警部たちが着々と現場検証を進めている。その場から動かないよう指示されているので、招待客たちは次第に苛立ちはじめた。

我慢の限界を迎えた作家の南条が、目暮警部に向かって早口にまくしたてる。

「と・に・か・く!! 呑口議員は頭上から落ちて来たシャンデリアに押し潰されて死んだんでしょ？ それが殺人というのなら、前もってシャンデリアが落ちる仕掛けをしておいて、スライド上映のために会場が暗くなった時、彼の手を引いて問題のシャンデリアの真下に連れて行き、仕掛けを作動させるしか方法はありませんわ!!」

南条は、天井を見上げた。そこには、シャンデリアを吊っていた鎖が、途中でちぎれたままぶら下がっている。

「でも見たところ落下したシャンデリアにも…それが吊られていた天井にも、それらしい仕掛けは見あたりません…。したがって殺人は不可能！ さぁ、わかったら早くここから私達を解放してくださらない？」

「………」

南条が言うのを聞いて、コナンは（確かにそうだ…）と納得した。

（暗闇で目的の人物にシャンデリアを落とすなんて、仕掛けでもないかぎり不可能だ…。しかし奴はそれを成し遂げた…。いったいどーやって…）

思考を巡らせるコナンの手を、灰原がふいにギュッとつかんだ。そのまま手を引いて、どこかへ歩いて行こうとする。

「お、おい！　どこに行くんだよ？」

「逃げるのよ…。このままここに留まって、無意味に時間を浪費するのは危険だわ！　それに、もし目暮警部達に見つかったら、私達がここにいる理由をどう説明する気？」

せわしなく言うと、灰原は会場の入口に向かって歩きだした。

「手掛かりはさっきあなたが拾った鎖の破片ただ一つ…。いくらあなたでも、あれだけじゃ犯人を割り出す事なんて…」

「二つならどうだ？」

コナンが言い、灰原が「え？」と足を止める。

「落ちてきたんだよ…シャンデリアが落下して明かりが点く前に、頭上からこのハンカチが…」

コナンは、さっき落ちてきた紫色のハンカチを広げて、灰原に見せた。

「ホラ、ハンカチの左上…『酒巻監督を偲ぶ会』って、縫いつけてあるだろ？　恐らくこれの持ち主が、ここの受け付けでもらったハンカチだ！」

「それがなんだっていうのよ？　持ち主の名前が書いてあるわけじゃあるまいし…」

「じゃあ見てみろよ、周りの奴らを…」

シラケて言う灰原に、コナンは周囲の招待客たちを目で示した。

「ホラ、あのグラスを持った男も…テーブルそばの太った女性も…その奥のヒゲを生やした老人も…みんなこのハンカチを持っているけど…色が違う!!」

「…どういう事?」

「恐らく酒巻監督の代表作『虹色のハンカチ』に掛けて、来場した人達に七色のハンカチをランダムに配ったんだ…。つまり、受け付けで調べれば、この紫のハンカチをもらった人物はある程度特定できるってわけさ!」

「でも、それが本当にあの殺人に関係している物かどうかなんて…」

「ああ、まだ何に使ったかも犯人の物かさえもわからねーが…」

そこで一度言葉を切ると、コナンは強いまなざしを灰原に向けた。

「事件に関係している可能性は0じゃない…。だろ?」


受け付けに行って紫色のハンカチを渡した人物を調べてもらうためには、一度会場の外に出なければいけない。コナンは、パーカーのフードをかぶって顔を隠すと、子供らしい口調を装って、会場内にいた刑事の男性に声をかけた。

「ねえ刑事さん…トイレに行かせてくんない？」

「ああ…」

刑事が、疑うこともなく入口の扉を開けてくれる。

その途端、外で待機していたらしいマスコミが、いっせいにフラッシュをたいた。

「ちょっと、なんですかあなた達!?」

刑事は慌てて扉を閉めようとするが、マスコミはカメラを構えたまま入口に殺到した。

「呑口議員が亡くなったって、本当ですか!?」

「事故死だと聞きましたけど…どうなんですか!?」

どうやら呑口議員が亡くなったことを知って、マスコミ関係者が早くも取材にやって来たらしい。

「後で説明しますから、皆さん下がって！」

刑事たちは必死に扉を閉めようとするが、マスコミたちは「答えてください!!」と食い下がり、会場の様子を撮影し続けた。フラッシュの光が、灰原やコナンの顔を明るく照らす。

「くそっ!!」

コナンは灰原の手を握ると、マスコミたちの間を強引に走り抜け、なんとか人の輪の外に出た。

「もうマスコミがかぎつけやがった!!」

「こりゃ帰りが大変だぞ!!」

招待客たちは、マスコミが詰めかけていることを知り、皆うんざりした表情を浮かべた。


会場内にいたピスコは、会場の扉の前に二人の子供がいることに気が付いていた。少年と少女が一人ずつだ。マスコミのたくフラッシュの光に照らされた少女の顔に、ピスコは見覚えがある気がした。

「………」

ピスコは無言で壁際に移動すると、持参したパソコンで、シェリーの名前を検索した。

すぐに、シェリーのデータと顔写真が画面に表示される。

シェリーの顔と、入口にいた少女の顔がそっくりであることに気が付いて、ピスコは目を見開いた。

なんとか会場を出たコナンたちは、受け付けにいた女性に、紫のハンカチを持っていった人物について質問した。

「え？　紫のハンカチを渡した人？」

コナンは「うん！」と元気よくうなずくと、適当な理由を説明した。

「ボク、その色のハンカチ拾ったから、その人に返したいんだ！　あの七色のハンカチ、後で何かに使うつもりだったんでしょ？」

「会の終わりに色を決めて、その色のハンカチを持ってる人に一言コメントをもらう予定になってたみたいだけど…」

「じゃあ、名前教えてよ！　持ってない人捜して、渡すから…」

「え、ええ…」

コナンに言われ、受け付けの女性はパラパラと名簿を確認した。

「えーっと、この夫婦もこのグループも来てすぐに帰っちゃったから…。今、会場内にいるのは…」

会場内では、招待客たちの不満が頂点に達していた。

「ちょっと！　いい加減に帰してくださいよ!!」

「事故だろ、事故！」

「ぐずぐずしてたらマスコミが増えるだけだぞ!!」

大勢の招待客たちが、口々に不満を訴える。

「どうします、警部？」

高木刑事に判断を仰がれ、目暮警部は苦渋の表情を浮かべた。まだ帰したくはないが、招待客たちを現場に引き留めておくのはそろそろ限界だ。

「これ以上引き留めたら、パニックになりかねん！　どうみても事故にしか見えんし、ひとまず帰すか…」

受け付けの女性は名簿を確認して、紫色のハンカチをもらった人物を割り出してくれた。

「はい！　この七人よ！　でもボウヤ、本当に捜せるの？」

（なるほど…あの七人か…）

芳名帳に並んだ名前を見て、コナンはすぐさま、該当する招待客たちの顔を思い浮かべた。三瓶康夫、南条実果、俵芳治、麦倉直道、クリス・ヴィンヤード、枡山憲三、樽見直哉――いずれも招待客たちの中で目立っていた連中だ。

（まだ確証はないが…もしかしたらこの中に…奴らの仲間のピスコが…）

組織の一員に近づいている可能性を感じ、コナンは緊迫しながらも小さな笑みを浮かべた。

と、その時、扉の前で待機していたマスコミたちが、

「お、おい出て来るぞ！」

「マジかよ？」

とザワつき始めた。

「え？」

コナンが顔を上げた次の瞬間、扉が勢いよく開き、中にいた招待客たちが一斉に外へと

飛び出して来た。目暮警部が帰宅を許可したのだろう。

マスコミたちはいっせいに、出て来る招待客たちに向かってマイクを向けた。

「日売TVです！　事故があった時側にいましたか⁉」

「知らん！　そこをどいてくれ‼」

「すみません、事故の様子を詳しく‼」

「そんな事は警察に聞いてよ‼」

「お願いしますよ‼」

強引に外へ出ようとする招待客たちと、コメントが欲しいマスコミたちとの攻防で、辺りはたちまちパニック状態になってしまった。多くの人でごった返し、これではとても推理どころではない。

「くそっ！　いったん博士の車に戻るぞ‼」

コナンは隣にいるはずの灰原に声をかけたが、返事はなかった。

「おい、灰原…」

周囲を見まわすが、どこにも灰原の姿がない。

（は、灰原？）

帰ろうとする招待客たちに流されて、いつの間にかはぐれてしまったらしい。コナンは慌てて、大声を出した。

「おいどこだ⁉　返事しろ‼」

灰原は、人に押されて入口の方まで流されていた。コナンが「おーーい！」と大声で呼ぶのを聞き、

「あ…ちょっ…」

と、助けを求めて手を伸ばそうとする。

しかし、次の瞬間、ガッと後ろから何者かに抱え上げられてしまった。

（え？）

驚く灰原の口元に、何者かは薬品を染み込ませたハンカチを当てた。

「うっ…」

気化した薬品のにおいを嗅ぐなり、灰原の意識がすうっと遠のいていく。

コナンは人混みの中で「灰原ァ!!!」と必死に呼びかけたが、灰原は返事をすることもなく、完全に意識を失ってしまった。

――灰原さん…起きて…灰原さん…

誰かに呼びかけられる声で、灰原はゆっくりと目を覚ました。

「灰原さん!!」

ひときわ大きな声で呼ばれ、「え?」と顔を上げる。

灰原を呼んでいたのは、歩美だった。

「どーしたの? 今、授業中だよ?」

灰原はあ然として周りを見まわした。灰原の通う帝丹小学校の、いつもの教室だ。担任の小林澄子先生が、教壇に立って教科書を読んでいる。

どうやら授業中に、自分の席で眠り込んでしまったらしい。

「もしかしてカゼのせい? やっぱり保健室で休んでた方が…」

歩美に心配され、灰原は(夢…?)と驚いてまばたきした。杯戸シティホテルでピスコにさらわれたと思ったのは、全て夢だったのだろうか。

(フ…そうよ…そうよね…。街で偶然彼らに出くわすなんて、出来過ぎてるわ…。最近こんな夢ばっかり…。疲れてるのかな？　私…）

苦笑いする灰原の耳に、今度は別の人間の声が響いた。

――灰原…

（え？　誰？）

教室の中を見まわすが、声を発している人間は誰もいない。どうやら灰原を呼ぶ声は、灰原の頭の中でだけ響いているようだ。

――おい、灰原。返事しろ…

（誰なの？）

――灰原！　灰原!!

灰原は（誰なのよ!?）と頭を抱えた。

何度も自分を呼ぶ、この声は――コナンの声だ。

『灰原ァ!!!』

はっと目が覚めると、灰原は見知らぬ部屋の床に横たわっていた。

歩美と一緒に教室で授業を受けていた、あの空間こそが夢だったようだ。

「く、工藤君？」

ぼんやりする頭を押さえ、灰原は身体を起こした。ここはどうやら、どこかの酒蔵らしい。ずらりと整列した棚に、お酒の瓶や酒樽などがぎっしりと並んでいる。

『灰原？　灰原か!?』

声はなおも聞こえてくるものの、辺りにコナンの姿はない。灰原は「どこ？」と聞いた。

『ホテルの前に停めた博士の車の中だ！　眼鏡に内蔵されたマイクと集音機に周波数を合わせて、交信してんだよ！』

「私…どうしたの？」

『それはこっちのセリフだ!!　会場前の廊下で何があったんだ？』

「会場前？」

灰原は、ぼんやりとしている記憶を探った。

「ああ…そういえば私…会場から出て来た人の波にのまれて、あなたとはぐれて…そうしたら誰かが突然後ろから…」

眠らされる前の記憶が徐々に蘇って来る。コナンとはぐれた後、何者かに薬をかがされたことを思い出すと、灰原は「!?」と息をのんだ。

『後ろからなんだって？』

「誰かに薬をかがされて、どこかの酒蔵に監禁されているみたいよ…」

そう言うと、灰原は立ち上がって、酒蔵の中を歩きまわった。もしかしたら近くにまだピスコがいるかもしれない。

『お、おい誰かってまさか…』

「ええ…恐らく警察の監視下にあったあの会場で、殺人をやってのけた組織の一員…ピスコ!!」

『な、なんだと!?』

灰原がピスコにさらわれたことを知り、コナンの声は一気に緊張感を増した。

『まさか、いるんじゃねーだろーな、そいつがそばに!!』

「いいえ。その誰かさんは、今はいないわ…。扉にはしっかり鍵が掛けられているけどね…」

灰原は、酒蔵に唯一ある扉のドアノブをガチャガチャとひねりながら答えると、近くに残されていた台車に視線を移した。台車の上には大きなダンボール箱が置かれ、清掃員が着るツナギの制服が中に入っている。

「残っているのは清掃員のツナギとダンボール箱と…」

『ツナギ？』

「ええ…きっと私に薬をかがせた後、トイレに連れ込んでトイレ内に用意しておいたこのツナギに着替え、私をダンボール箱に入れてここに運んだのよ…。どうやら、あの議員を会場で殺しそびれた場合、トイレで殺し、ここに運ぶつもりだったようね…」

『まあいい…とにかく、その酒蔵からの脱出方法を早く見つけて…』

灰原は改めて酒蔵の中に視線を走らせた。酒蔵の中に窓はなく、扉が閉まっている以上ここから脱出するのは難しそうだ。そして、もし仮に上手くここから脱出できたとしても——組織はきっと灰原を逃がさないだろう。

灰原は覚悟を決め、コナンに向けて語りかけた。

「いーい工藤君、よーく聞いて…私達の体を幼児化したＡＰＴＸ４８６９のアポとはアポトーシス…つまりプログラム細胞死の事…。そう…細胞は自らを殺す機構を持っていて、それを抑制するシグナルによって生存しているってわけ…」

『おい灰原、何言ってんだ？』

「ただ、この薬はアポトーシスを誘導するだけじゃなく、テロメラーゼ活性も持っていて、細胞の増殖能力を高める…」

『おい⁉』

コナンは困惑して、強引に灰原を遮った。

『おい、やめろ‼ んな事、おまえがそこから脱出したらいくらでも聞いて…』

「いいから黙って聞きなさいよ‼」

強い口調で言うと、灰原は声のトーンを落として続けた。

「もう二度と…二度とあなたと言葉を交わす事なんてないんだから…」

『なに？』

「わからないの？ 彼らは私のこの幼児化した姿にもかかわらず私を監禁したのよ？ たとえここから逃げても、二日もたたない内に彼らは私を見つけるわ…。そうなれば彼らは私をかくまっていた博士はもちろんの事、私に関わった人達もみんな…秘密保持のために一人残らず抹消するでしょうね…」

コナンは、阿笠博士と車の中にいると言っていた。だとすれば、灰原とコナンの会話は、おそらく阿笠博士の耳にも入っているはずだ。

灰原はうつむき、淡々と続けた。

「そう、ここで殺されたとしても、うまく脱出できたとしても…私はもう二度とあなた達に会えない状況に追い込まれてしまったのよ…。だから今の内に、私が覚えている薬の情報をあなたに…」

(灰原…)

灰原の覚悟を知り、コナンは言葉を失った。灰原は自分が犠牲になってでも、コナンたちの安全を守り、APTX4869の情報を残すことに決めたのだ。

と、その時――ピポピコピコビョビョーン、と奇妙な電子音が聞こえてきた。

『ん? な、なんの音だ?』

「ああ…学校で円谷君に返してもらった博士のゲームよ…彼らが私のポケットに入っていたそのゲームソフトを、組織のモバイルパソコンで調べたのよ…」

灰原は、近くの机の上に置かれたモバイルパソコンに向かった。モニターには、阿笠博士の作ったゲームの画面が表示されている。ピスコが、灰原の所持していたゲームソフトの中身を、念のために調べたのだろう。

モバイルパソコンには、ピスコが何か調べ物をした形跡も残っていた。

「パソコンに携帯電話もつながっているって事は…あ、やっぱり…私の顔を検索していたんだわ…」

『お、おまえ縛られてねーのか？』

灰原がパソコンのキーを叩く音を聞いて、コナンは驚いて尋ねた。

「ええ…だから急いでいるんじゃないの！　彼らが長時間私を縛りもしないで放っておくわけないから…。さあ…彼らが戻って来る前に私の話を…」

『いや…奴は当分戻って来ねーよ…』

コナンがきっぱりとした口調で言う。

「え？」

『おまえがいなくなった後、警部に電話したんだ…。紫のハンカチをもらった例の七人を、杯戸シティホテルから一歩も出すなって…工藤新一の声でな!!』

新一は、高校生探偵として日本の警察から絶大な信頼を得ている。その新一からの頼みなら、目暮警部は必ず聞いてくれるはずだ。

『おまえが拘束されていない事と、電源が入ったままのパソコンの状態からすると、恐らくおまえを監禁した奴は何かの目的でちょっとだけホテルから出ようとしたが、出口で刑事に止められて、今、上の階で警部に事情聴取を受けてんだ！　しかも奴は今、外部との連絡がとれないでいる可能性が高い！　おまえがいなくなってから一時間近くたっているのに、奴どころか奴の仲間もそこに来てねーのは、考えられないからな！』

　コナンは確信に満ちて続けた。

『つまり、オレがにらんだとおり、いるんだよ、あの七人の中に…暗殺を成し遂げておまえをそこに監禁した…ピスコって奴がな!!』

「…じゃあここってまだ、杯戸シティホテル内って事？」

『ああ、たぶんそうだ！　奴が仲間に接触する前に殺人の証拠を挙げて、奴を警察に突き出す事ができればおまえの身の安全は保障されたままってわけだ！　警部があの七人を留められるのはせいぜいあと一時間…とりあえずオレは、ホテルの従業員にあまり使用されていない酒蔵の場所を聞いて助けに行ってやるよ！　女の子が間違って中に閉じこめられたって言えば、鍵を開けてくれるはず…』

「バカね…言ったでしょ？　私に関わった人は消されるって…。知らないわよ…私の逃亡を手助けしたその従業員が、後でどーなっても…」

『じゃーなんとか自力でそこから脱出する方法を見つけろよ！　オレはその間、あの七人の中からピスコを割り出すから…』

　灰原は酒蔵の中を見まわした。部屋に窓はなく、唯一の扉には鍵がかかっている。ほかに外部とつながっていそうなのは、部屋の前方に作りつけられた暖炉くらいだろう。

「簡単に言うけど、この部屋に脱出口なんてないわよ…あるのは古びた暖炉ぐらい…」

『その暖炉、登れねーのかよ？』

「無理ね…登るには大き過ぎるわ…」

灰原は暖炉の中に入り、煙突を下からのぞきこんだ。

「こんな体じゃなきゃ手足を突っ張ってなんとか行けそうだけど…」

灰原が言うのを聞いて、コナンは『!!』と何かを思いついたように息を飲んだ。

『た、確かそこ酒蔵だって言ったよな？』

「ええ…。古くなって使わなくなった暖炉つきの部屋を、酒蔵にしたって感じね…」

『そこに白乾児ってあるか？』

灰原は「パイカル？」と聞き返した。聞きなれない酒の名前だ。

『ああ…中国のきつい酒だ…』

棚の間を歩き回って探すと、すぐにそれらしい酒瓶が見つかった。ラベルには確かに「白乾児」と書かれている。

「あったわよ、白乾児…。でもどーするの？　こんな酒…」

灰原が聞くと、コナンはどこか楽しげに答えた。

『その部屋から脱出させてやるんだよ…おまえにとっておきの魔法をかけてな‼』

一方、その頃——

目暮警部は、工藤新一に電話で言われた七人の事情聴取を、順番に行っていた。今は俵の番だ。

「ちょっと、どーいう事？　事情聴取が済んでいないのならまだしも、それを終えた私達が、帰れない上に電話もかけさせてもらえないなんて…」

すでに事情聴取を終えた南条は、いまだに帰宅させてもらえないことについて、すっかりイライラしている。

「まあまあ、こちらにもいろいろ都合がありまして…」

高木刑事がなだめるが、南条だけでなくほかの五人もウンザリしてきているようだった。

クリスはホテルの外の雪景色をつまらなそうに眺めている。

やがて俵が事情聴取を終えて部屋から出て来ると、目暮警部も続いて顔を出し、

「次、麦倉さんお願いします！」

と、声をかけた。


コナンは阿笠博士の車の中で、テレビのニュース番組を見ていた。レポーターが、会場前の映像と共に、呑口議員が亡くなった事件について報じている。

「これが事故直後の映像です。なお、事故現場の会場近くの個室では未だ事情聴取を受けている方が数人いるようですが、それが誰なのかは発表されておりません…。以上、現場からお送りしました…」

映像が次のニュースに切り替わると、コナンは「ウーン…」と難しい顔でうなった。

「今の映像であの七人の事件直後のおおよその位置はわかったけど…これだけじゃ…」

ニュースの情報によれば、落ちて来たシャンデリアはちょうど会場の真ん中にあったらしい。シャンデリアのそばにいたのはクリスと俵。会場前方のスクリーンの近くにいたのは麦倉と南条と樽見、そして会場の後方にいたのは枡山と三瓶だ。

この中の誰が、呑口議員を殺したピスコなのか——コナンが考え込んでいると、

『ねえ…エルキュール・ポアロのつづりってわかる？』

と、灰原が声をかけてきた。

「あん？　おい、何やってんだ？　ちゃんと白乾児飲んだのか？」

『ええ、飲んだわよ…。どーいうつもりか知らないけど気分が悪くなっただけだわ…』

灰原はコホコホと咳をしながら言うと、

『それより教えてよ、ポアロのつづり…』

と、コナンを急かした。

「『Ｈｅｒｃｕｌｅ　Ｐｏｉｒｏｔ』だけど、こんな事聞いて何すんだよ？」

『組織のコンピュータからＡＰＴＸ４８６９のデータをおとそうと思ったんだけど、パスワードに引っ掛かって…』

灰原はピスコのパソコンを操作して色々なパスワードを試しているらしい。カタカタとキーを叩く音が聞こえてきた。

『ダメだわ…ポアロでも開かない…』

「パスワードが『ポアロ』？　どーいう事だ？」

『試作段階のあの薬を、組織の人達がたまにこう呼んでいたのよ…。シリアルナンバーの

4869をもじって4869――シャーロック…「出来損ないの名探偵」ってね！　だから思いついた名探偵の名前を、手当たり次第に入れているんだけど…そんなに簡単にはいかないようね…』

灰原の説明を聞き、コナンは「………」と考え込んだ。「出来損ないの名探偵」と呼ばれていたAPTX4869にふさわしい名前は何だろうか――

「『シェリング・フォード』…つづりは『Shellingford』…」

コナンがおもむろに告げると、灰原は『え？』と、戸惑った声を出した。

『そんな探偵いた？』

「いいから入れてみろ！」

言われるがまま、灰原はパソコンのキーを叩いてパスワードを入力した。最後にエンターキーを押す。すると、あっさりとデータが開いた。

『ウソ…開いたわ…どーして？』

「『シェリング・フォード』はコナン・ドイルが自分の小説の探偵を『シャーロック』と名付ける前に仮につけた名前…つまり『試作段階の名探偵』ってわけさ！」

『へー…組織にしては洒落てるじゃないの…』

「それよりそろそろ時間がヤバイ…。おまえ、体…なんともねーのか？」

『なんともないわけないじゃない…元々カゼ気味な上に、あんなお酒まで飲まされて…』

不機嫌そうに答えながら、灰原はカタカタとパソコンを操作した。ゲームが保存されていたメモリーに、今開いているＡＰＴＸ４８６９のデータを上書き保存するのだ。

「とにかく、薬のデータをコピーして、この酒蔵のどこかに隠しておくから後で取りに来るのね…私の死体を組織が運び去った後でね…」

「お、おい…」

コナンが口を開きかけたとき、

「し、新一君!!　あれ！　あれ!!」

と、阿笠博士が慌てた様子で、ホテルの正面を指さした。

「え？」

見ると、ホテルのエントランス前に、一台のポルシェが停車した。ドアを開けて出て来たのは、ジンとウォッカだ。

「や、奴らじゃ!!　まさかピスコとやらと連絡が取れたんじゃあ…」

「いや、それはない！　あの七人を解放する前に、警部からこっちに電話が来るはずだから…」

幸い、ジンたちは、すぐそばに停まっている阿笠博士の車のことまでは気にしていないようだ。二人はモバイルパソコンを開くと、何かを調べ始めた。

「ま、まさか今、灰原の前にあるパソコンに発信器が内蔵されてたんじゃ…」

コナンが言うと、阿笠博士は「そうか！」と納得して続けた。

「何度電話を掛けてもつながらんから、その発信器を頼りに…」

コナンは慌てて、灰原に呼びかけた。

「おい、灰原ヤバイぞ！　奴らが来る!!　とりあえず暖炉の中に隠れてろ!!」

しかし、灰原からの返答はない。ただ、ハァハァと辛そうに息をする音だけが、かすかに聞こえていた。

「おい、どーした!?　おい!?」

コナンが何度も呼びかけるが、灰原には返事をする余裕はなかった。

白乾児という酒を飲んでから、もともと悪かった体調がいよいよ悪化して、座っていることさえできなくなっていたのだ。灰原は、荒い息を繰り返し吐きながら、机に寄りかかった。シュウ…と身体から煙が出始める。

ドックン！

心臓が大きく鳴り、身体が焼けるように熱くなって、灰原は床の上にうずくまった。

ドックン、ドックン……

鼓動はどんどん大きくなっていく――


ジンとウォッカがホテルの中に入って行ったのを見て、コナンは慌てて携帯電話を出した。工藤新一の声で、目暮警部に電話をかける。

「警部！　工藤です!!　今、ホテルに入った黒服の二人組の男に職質をかけてください!!」

突然言われて、目暮警部は『え？』と戸惑った声を出した。

『どこにいるんだね、君は!?』

「いいから早く!!」

コナンに急き立てられ、目暮警部は、入口近くを警備していた刑事にすぐさま連絡を取ってくれた。しかし、刑事の反応は要領を得ない。

「え？　黒服の男？　ですが警部、出入り口は客とマスコミでごった返していて誰が誰だか…」

結局、警察はジンとウォッカを引き留めることが出来ず、二人はあっという間に灰原が監禁されている酒蔵までやって来てしまった。

ウォッカは酒蔵のカギを銃で撃って破壊すると、バン!! と勢いよく扉を開けた。

しかし、そこには誰の姿もない。

「あれ？ 妙だな…いませんぜ、ピスコの奴…」

ウォッカは首をひねると、机の上に残されていたモバイルパソコンに視線を落とした。

すぐそばには、口の開いた白乾児のビンもある。

「30分後、ホテル近くの駐車場で落ち合おうって言ったきり音沙汰がねーし…発信器を頼りに来てみればパソコンはあるものの、奴の姿はどこにもねぇ…。だいたいなんなんですかい、この酒蔵…」

「恐らくピスコが念のために確保しておいた部屋だ！ 会場での殺しが失敗した場合、ここを標的の死体置き場にするつもりだったんだろーよ…」

そう言うと、ジンはゆっくりと暖炉の方に歩み寄った。しかし、中をのぞき込むことはせず、手前で立ち止まる。

「とにかく、早くこのホテルからズラかった方がよさそうですぜ、兄貴…」

ウォッカにうながされ、ジンは「………」としばらく沈黙したあとで、

「ああ、そうだな…」

と、意味深にうなずいて、酒蔵を後にした。


ジンとウォッカが現れた時、実は灰原はずっと酒蔵に隠れていた。

二人が酒蔵を出て行く物音を聞くと、コナンは、

『おい？』

と、灰原に声をかけた。

『奴らは行っちまったか？』

「ええ…」

灰原は隠れたまま、ハァハァと吐息を荒くしてうなずいた。

『それで？　おまえ服は…』

「ちゃんと着てるわよ…酒蔵にあった清掃員のツナギを…」

灰原は、コナンに飲まされた白乾児の効果で、元の身体に戻っていた。あのお酒には、ＡＰＴＸ４８６９を飲んで小さくなった人間を、元の大きさの身体に戻す作用があるのだ。ただし、以前コナンが飲んだ時には、その効果は一度きりだった。

灰原は、大人の身体に戻ったことで、手足を突っ張って、古びた暖炉の中にある煙突をのぼることが出来るようになっていた。もともと着ていた子供の服はサイズが合わなくなってしまったので、ピスコが用意していた清掃員の制服のツナギを着ている。

「もちろんコピーした薬のデータも持ってるわよ！　でも、驚いたわ…あの白乾児ってお酒、細胞の増殖速度を速めるエンハンサーの要素でも含まれているのかしら？」

『安心するな！　その効果は一時的だ！　子供の姿に戻っちまう前に煙突の先から脱出するんだ！』

コナンに言われるまでもなく、灰原は必死に煙突を這いあがっていた。大人の身体に戻ったとはいえ、手足の力で煙突を登っていくのはかなりの重労働だ。

「まるで井戸からはい上がったコーデリアね…気が遠くなりそうよ…。ところでわかった？　ピスコが誰なのか…」

『いや、まだだ…情報が足りねーんだよ…』

七人の容疑者のうち、誰がピスコなのか――

ニュース番組の情報だけでは思うように推理が進まず、焦るコナンに、

「見ろ、新一君！」

と、隣でネットニュースを調べていた阿笠博士が声をかけた。

「ネットに出ておる、明日の新聞の朝刊！」

「それならさっき見たけど別に…」

「いや、見るのは芸能面じゃ！」

阿笠博士が忙しなくパソコンのモニターを見せる。

するとそこには「ついに熱愛発覚!?」の見出しとともに、会場で抱き合う南条と樽見の写真が掲載されていた。

「会場に潜り込んでおったカメラマンが、シャンデリアが落ちる直前に撮ったそうじゃ！

これ、例の七人の中の二人じゃろ？」

南条と樽見は、事件が起きる直前、暗闇の中で抱き合っていたのだ。

（……待てよ…もしかしたら…）

コナンはピンと来て、事件直後に落ちて来たハンカチを取り出した。まじまじと確認すると、ハンカチの中央には、直径一センチほどの焦げ跡が残っている。

（焦げた跡………て事は、この鎖…）

コナンは続けて、三瓶が吐き出したあの鎖を確認した。

すると思った通り、鎖にもハンカチと同じような焦げ跡が残っている。

（なるほど…。そういう事か…）

ようやくピスコが誰なのかわかり、コナンは唇の端を上げた。

灰原はなんとか煙突を這い上がり、屋上までたどり着いていた。
「で、出たわよ…どーするの？」
コナンに問いかけたつもりだったが、応答したのは阿笠博士だった。

『よくやった哀君！　そこがどこだかわかるか？』

「どこかの屋上みたいだわ…。く、工藤君いないの？」

『さっきまで目暮警部と電話で話しておったが、慌ててホテルに入って行ったよ…』

「慌てて…？」

『まあ安心せい！「ピスコの正体はわかった！　すぐに迎えに行くから大人しくそこで待ってろ」と、君に伝言を残して行きおったから…』

灰原は煙突から、雪の積もる屋上に這い出ると、上がった息を整えながら「フ…大丈夫…」と苦笑いして答えた。

「どーせ動きたくても、体がだるくて動けない…」

パシュ！

突然、銃弾が背後から灰原の右肩を貫いた。

灰原は身体をよろめかせ、屋上の壁に寄りかかるようにしてドッと倒れ込みながら、銃弾が飛んできた方角を振り返った。

そこに立っていたのは、ジンだ。雪の降る中、まるで悪夢で見た光景のように、銃を構えている。

「会いたかったぜ…シェリー…」

低い声で言うと、ジンは銃口を灰原に向け直し、

「綺麗じゃねーか…」

と唇の端を上げた。

「闇に舞い散る白い雪…それを染める緋色の鮮血…組織の目を欺くためのその眼鏡とツナギは、死に装束にしては無様だが…ここは裏切り者の死に場所には上等だ…。そうだろ？　シェリー…」

ジンが語るように、灰原の右肩からは真っ赤な血が流れてポタポタと垂れ、雪の上に真っ赤な染みを作っていた。灰原は、ハッハッと辛そうに息を吐きながら右肩を押さえているが、血はまったく止まっていない。

「よ、よくわかったわね…私がこの煙突から出て来るって…」

「髪の毛だ…」

そう言ってジンは、手の中に持った髪の毛を灰原に見せた。

「見つけたんだよ、暖炉のそばで…おまえの赤みがかった茶髪をな…。ピスコに取っ捕まったんだか、奴がいない間にあの酒蔵に忍び込んだんだか知らねーが…聞こえてたぜ？

暖炉の中からおまえの震えるような吐息がなァ…。すぐにあの薄汚れた暖炉の中で殺ってもよかったんだが…せめて死に花ぐらい咲かせてやろうと思ってな…」

「あら…お礼を言わなきゃいけないわね…。こんな寒い中、待っててくれたんだもの…」

肩の傷を押さえながらも、灰原は余裕のある表情を浮かべて言う。ジンは銃を構えたまま、「フン…」と鼻を鳴らした。

「その唇が動く内に聞いておこうか…。おまえが組織のあのガス室から消え失せたカラクリを…」

コナンは、ホテルのレセプションで、灰原がいるはずの酒蔵の場所について尋ねていた。

「え？　酒蔵？」

「うん！　大っきな暖炉がある部屋だと思うんだけど…」

スタッフの女性は資料を確認すると、

「そんな部屋、このホテルにはないわよ？」

と、首を傾げた。もう一人のスタッフが口を挟む。

「もしかして、もうすぐ改装する旧館の方じゃない？　どこかの部屋をとりあえず物置きにしてるって聞いたから…」

（物置き？　そこだ!!）

灰原は旧館にいる――コナンは、スタッフたちが「あ、ちょっとボウヤ!?」と止めるのも聞かず、ダッと駆け出した。

（恐らくピスコもそこに向かっている!!　奴があの二人と合流したら、灰原が薬で小さくなってる事がバレちまう！）

灰原がすでにジンとウォッカと共に屋上にいるとは知らず、コナンは全速力で酒蔵に向かった。

（くそっ！　せめてあと5分、警部が奴らを留めていてくれていたら…）

もどかしい気持ちで、ホテルの廊下をひた走る。

その時、ポケットの中で、携帯電話がピリリ、ピリリ……と音を鳴らした。

（電話？）

応答すると、電話をかけて来たのは阿笠博士だ。

阿笠博士から、灰原がジンに待ち伏せされて撃たれたことを聞き、コナンは「なに!?」

と目を見張った。

「灰原が撃たれた⁉」

「そうじゃ‼　どこかの屋上で奴らに‼　早く行か…」

プッと音がして、会話はそこで途切れてしまう。

「おい博士？　博士⁉」

コナンは電話に向かって呼びかけ、すぐさまかけなおそうとしたが、ボタンを押しても携帯電話は一切反応しなかった。

(電池切れ？)

ジンは、情報を吐かせるため、次々と銃弾を灰原に撃ちこんでいた。

パシュ！　パシュ！

銃弾が、灰原の右腿を貫き、左肩をかすめる。続けて発射された弾丸は、灰原の左頬を深く裂いた。

灰原は血を流しながら、ドッと雪の上に倒れ込んでしまう。

しかし、何発銃弾を撃ち込まれても、灰原は何の情報も吐かなかった。

「兄貴…この女、吐きませんぜ…」

ウォッカがうんざりして言う。

「仕方ない、送ってやるか…先に逝かせてやった…姉の元へ…」

冷たい目でつぶやくと、ジンは再び銃口を灰原に向けた。これまでは、あえて急所を避けてきたが、いよいよとどめを刺すつもりだ。

ジンの指が、引き金にかかる。

しかし次の瞬間、ジンは右腕に小さな痛みを感じて、動きを止めた。

驚いて視線を向けると、どこから撃ち込まれたのか、右腕の後ろに針が刺さっている。

(針？)

急に眠気におそわれ、ジンはドッとその場に片膝をついた。

ジンに刺さっているのは、コナンが撃ち込んだ腕時計型麻酔銃の針だった。間一髪のところで駆け付けたコナンは、屋上の扉の陰に隠れて麻酔銃を撃ち込んで、ジンの動きを止めたのだ。

「あ、兄貴？」

ウォッカは状況が飲み込めず、困惑した様子だ。

コナンは蝶ネクタイ型変声機で大人の男性の声を出し、

『煙突だ!!　煙突の中に入れ!!』

と、灰原に向かって叫んだ。

「誰だてめぇは!?」

ウォッカが、コナンのいる扉に向かって銃を撃つ。

しかし幸いにも扉は鉄製で、キンキンと銃弾を跳ね返してくれた。

『早く!!』

コナンに急かされ、灰原は必死に、煙突の中へと這いずっていく。

「この女、逃がすか!!」

ウォッカがすかさず、灰原を銃で狙う。

銃弾は灰原の左腕に当たり、灰原はヒュウゥ……と、煙突の中へ落ちて行った。

一方、ジンは膝をついたまま動くことができずにいる。このままでは、眠り込んでしまうのも時間の問題だ。

「兄貴?　どうしたんですかい、兄貴!?」

ウォッカがうろたえて、ジンをのぞき込む。

ジンは、自分の銃を麻酔針が刺さった右腕に押し付けた。そのまま引き金を引き、自分で自分の右腕を撃ち抜く。

血が噴き出し、痛みと衝撃で、ジンの目がカッと見開かれた。

灰原は、最初に閉じ込められていた酒蔵の暖炉の中まで落ちてしまった。

ハア…ハア…ハア…

撃たれた傷のせいもあり、すぐに動くことが出来ない。暖炉の中で倒れ込んだまま、灰原は浅い呼吸を繰り返した。

ドックン！

白乾児を飲んで大人の姿に戻った時と同じように、心臓が突然大きく飛び跳ねる。

ドックン、ドックン――

どんどん大きくなる鼓動と共に、身体がまた熱くなり、灰原は子供の姿へと戻ってしまった。白乾児の効果が切れたのだ。

「素晴らしい！」

倒れている灰原に、一人の男性がゆっくりと歩み寄った。

「君はまだ赤ん坊だったから覚えちゃいないだろうが、科学者だった君の御両親と私はとても親しくてね…。開発中の薬の事はよく聞かされていたんだよ…」

優しく声をかけながら、男性はしゃがみこんで灰原の顔をのぞいた。

「でもまさか、ここまで君が進めていたとは…。事故死した御両親もさぞかしお喜びだろう…」

（誰？　誰なの、あなた…）

灰原は視線を上げ、かすむ視界に目を凝らした。タバコのにおいがする。どうやら男性は、タバコを吸っているらしい。

「だが、これは命令なんだ…」

そう言うと、男性は懐から拳銃を取り出して、灰原に向けた。

「悪く思わんでくれよ…志保ちゃん…」

『そこまでだぜ…枡山さん？』

ふいに、鋭い声が酒蔵に響き渡り、枡山はびくりと身体を硬直させた。

灰原に拳銃を向けた男性の正体は、枡山だったのだ。

酒蔵に響いた声は、コナンのものだった。コナンは酒蔵のどこかに身を隠し、蝶ネクタイ型変声機を使いながら、

『それとも、ピスコって呼んだ方がいいのかな？』

と、さらに畳みかけた。

「だ、誰だ!?」

『うまく呑口議員の頭上にシャンデリアを落として、事故死に見せかけたつもりだろーが、そうはいかねーよ…。あれはあんたが落としたんだろ？　サイレンサーつきの拳銃を使ってな！　目印は、あらかじめシャンデリアの鎖につけていた蛍光塗料！　スライド上映で会場内が暗くなればその光が浮かび上がるって寸法だ…』

枡山は銃を握ったまま立ち上がると、声の主の居場所を探して酒蔵の中を歩き回り始めた。

『もちろん、そのまま発砲すれば銃口から火花が出て、周りの人に気づかれちまうが、ハンカチを使えば話は別…ハンカチをサイレンサーの先にかぶせれば…発砲と同時にハンカチが吹っ飛び、火花を隠してくれるってわけだ！　『酒巻監督を偲ぶ会』のハンカチを使

ったのも、後で回収しなくても足がつきにくいと思ったからだろーが、あいにく、あの紫のハンカチをもらった客はすでに十数人が帰っちまってて容疑者はあの七人のみ…』

コナンは、理路整然と枡山を追い詰めていく。

『シャンデリアの真下にいて鎖が狙えない俵さんとクリスさんはシロ！　証拠の鎖を口から吐き出した三瓶さんと、司会で客に注目されていた麦倉さんも違う！　事件直前に抱き合っていた樽見さんと南条さんは論外…。つまり、あの会場でこの犯行ができたのは枡山さん…あなただけなんだよ！』

言い逃れのできない段階まで追い詰められても枡山はひるまず、冷静に、声の出所を探して歩いた。どうやら声は、「ＳＰＩＲＹＴＵＳ」と書かれた木箱の中から聞こえてくるようだ。

「そこか!!!」

枡山は木箱に向かって銃を撃った。

ガチャン！　バリン！

木箱が砕け、中に入っていた酒瓶が粉々に割れる音がする。

しかし、聞こえてくる声は止まらなかった。

『ちなみに、呑口議員がシャンデリアの下に来たのは、その真下の床にも蛍光塗料を塗っていたから…。逮捕寸前の彼に「挽回の機会をやるから明かりが落ちたら光る場所で指令を待て」とでも脅しをかけたんだ…。そうだろ、ピスコさん？』

枡山――ピスコは、砕けた木箱を開けた。すると蓋の裏側に、小さな丸い機械が貼りついている。

（スピーカー⁉）

声の主は、木箱の中に隠れていたのではなく、木箱の外側につけたスピーカーから声を出していただけだったのだ。

ピスコはスピーカーをつかむと、がなりたてた。

「だ、誰だ⁉　何者なんだ、おまえは⁉」

ザッと靴音を立て、コナンは灰原を守るように立ちはだかった。

コナンはスピーカーのある場所に枡山を誘導することで、灰原を枡山から遠ざけていたのだ。

「江戸川コナン‼　探偵さ…」

「た、探偵…⁉　ま、まさか取り調べ中、警察に指示を出していたのは、小僧…おまえなのか!?」

「どーせあんたも上の二人も、警察に捕まっちまう…。その前によかったら教えてくれないか？　どーしてあんたが取り調べ中にあの紫のハンカチを持っていたのかを…」

コナンはするどい目つきで、ピスコをにらみつけた。

「だから警部はあんたを解放せざるを得なくなった…いったい、あのハンカチは…」

「フン…世の中には知らなくていい事もあるんだよ…」

吐き捨てるように言うと、ピスコは銃口をコナンに向けた。

「それに状況をよく見ろ！　警察なんか呼べやしない…」

「あんたこそ、よく見るんだな…自分の足下を…」

ピスコは自分の足もとに視線を落とし、「!?」と目を見張った。

さっきピスコが撃ち抜いた木箱に入っていた酒瓶が粉々に割れ、中に入っていた酒が床の上に大量にこぼれている。

「スピリタス…アルコール度数96%の強烈な酒だ…。わかるよな？　そんな酒が気化しているそばで煙草なんか吸ってるとどうなるか…」

この酒蔵に入って来た時から、ピスコはずっとタバコを吸っていた。

その火種が、気化したスピリタスに引火して、ボッと燃え上がる。

火はあっという間に、酒蔵全体に燃え広がってしまった。


『旧館604号室で火災発生!!』

酒蔵で火災が発生してすぐ、ホテルの旧館には非常事態を告げるアナウンスが響き渡った。

ホテルの一室には、まだ警察が待機している。目暮警部はアナウンスを聞くなり、

「なに!?」

と驚いて立ち上がった。

「とにかく行ってみましょう!!」

高木刑事が言い、刑事たちは我先にと、火元となった604号室の酒蔵へ走った。

コナンは動けなくなった灰原を背負って、棚の陰に身を隠した。

「おい、小僧どこだ!?　出て来い!!」

燃え盛る酒蔵の中、ピスコは銃を構えたままコナンを探して怒鳴っている。

その時、暖炉の中で、ザシッと誰かが着地するような物音がした。

「フフフ…そこか…」

ピスコは、暖炉の中にコナンが隠れていると勘違いをして、うれしそうに暖炉の方へ向き直った。

その隙に、コナンは棚の陰から出て、酒蔵を脱出していく。

暖炉の中にいたのは、ジンだ。

ジンは無言で、銃口をピスコの眉間に押し当てた。

「な、なんのマネだ？　ジン…」

「耄碌したなピスコ…なぜあのカメラマンをすぐに殺って、フィルムを隠滅しなかった？」

「カメラマン？　なんの事だ？」

「明日の朝刊の一面が、おまえの写真に差し替えられたそうだ…。銃を天井に向けるおまえのアップにな…」

会場にいたカメラマンが、銃でシャンデリアを狙うピスコの姿を撮影していたのだ。せつかく銃をハンカチで隠すトリックを使ったのに、そんな写真が撮られていたのでは、言い逃れは出来ないだろう。

ピスコは後ずさりながら、しどろもどろに命乞いを始めた。

「よせ…私を殺すと、シェリーを捜せなくなるぞ…私には見当がついている…そ、それにあの方に長年仕えた私を殺すとおまえの立場も…」

「悪いな…。これはついさっき受けた…あの方直々の命令だ…」

「な⁉」

驚愕するピスコに、ジンは冷たく笑いかけた。

「組織の力を借りてここまでのし上がったんだ…もう十分いい夢を見ただろ？　続きは向こうで見るんだな…」

ゆっくりと言うと、ジンはピスコに突き付けた銃の引き金を引いた。


コナンは灰原を連れ、ホテルをなんとか脱出して、阿笠博士の車に乗り込んだ。

すぐさま車を走らせ、ホテルから離れる。阿笠博士は運転をしながら、ジンが酒蔵にやって来てからのことをコナンに説明した。

「なに⁉　ジンがピスコを射殺した？」

「ああ…哀君が暖炉に置き忘れた眼鏡から会話を聞いとったんじゃが、射殺後、すぐにまた煙突から逃げて行ったようじゃ…」

（変だな…なんであいつ麻酔銃で撃たれて動けるんだ？　あんな大男、眠っちまったら警察から逃れられねーと踏んでたのに…）

実際には、ジンは麻酔針を刺された右腕を自分で撃ち、麻酔薬が全身に回る前に眠気を飛ばしたのだが、コナンはそうとは知らずに口元に手を当てて考え込んだ。

（それに、灰原の行動が奴らに読まれ過ぎていたのも気にかかる…。灰原が会場に来る事も確信していたみたいだし…髪の毛見ただけで誰のかわかるか、普通…）

気にかかることがあり、コナンは後部座席に横たわっている灰原の方を振り返った。

「なぁ…おまえひょっとして組織にいた頃…」

「それで？　バレちゃったの？　私の体が小さくなった事…」

灰原に聞かれ、阿笠博士が明るく答える。

「いや、バレとらんようじゃ。安心せい！」

コナンは「………」としばらく灰原の様子を見つめていたが、それ以上聞くのをやめて、

「で？　どうする気なんだよ？　おまえこれから…」

と、話題を変えた。

「…そうね…私がこの街に潜んでいると知られた以上、もうあなた達の側にはいられないわね…。ツナギに入れたままのデータも燃えてしまっただろうから、私がここに留まる意味もない…。安心して、明日にでも出て行ってあげるから…」

「おいおい無理じゃよ、そんな体じゃや!!」

阿笠博士が慌てて引き留めるが、コナンは「よし！」と満足げにうなずいた。

「それなら大丈夫だ！」

灰原は出て行こうとしているというのに、いったい何が大丈夫なのか——阿笠博士はきょとんとして、「へ？」と不思議そうにコナンの顔を見た。


その頃、ジンとウォッカも、車を走らせて杯戸シティホテルを後にしていた。

「えっ？　この街であの女、捜さないんですかい？」

右肩に怪我を負ったジンに代わって運転をしながら、ウォッカは驚いて聞き返した。せっかくシェリーをあと一歩まで追い詰めたというのに、ジンはこの街でこれ以上シェリーを探さないというのだ。

ジンは、右腕を押さえながら「ああ…」とうなずいた。

「無駄な事はしねえ性分なんだ…。今頃助けに来た男と、どこか遠くの街にしけこんでるところだろーよ…。オレ達に顔を見られた街に、のん気に留まるようなバカな女じゃねぇからなァ…」

すると、後部座席に座っていた女性が、

「あら、随分入れ込んでるのね…その小娘に…」

と、ジンをからかうように口を挟んだ。

ジンがちらりと、女性の方に視線を向ける。

「悪かったな、ベルモット…あの老いぼれをサポートするためにおまえほどの女をわざわざ呼んだっていうのに…とんだヘマに付き合わせちまって…」

ベルモットと呼ばれた女は、コンパクトを開いて口紅を塗りなおしながら「ホント…」とうなずいた。

「せっかく事情聴取を受ける前にハンカチを渡してあげたのに…死んで正解だったわね…。それより気にならない？　小娘とつるんでるその男…」

「あぁ…あの女に抱き込まれた男…見てみたいもんだ、その面を…」

「ええ…恐怖に歪んだ死に顔をね…」

　そう言うと、ベルモットはコンパクトをパチンと閉じ、タバコを口にくわえて火を着けた。

「また米国に戻るんですかい？」

　ウォッカがハンドルを握りながら聞く。

「いや…女優はしばらく休業…日本でのんびりするつもりよ…ちょっと引っ掛かる事もあるしね…」

　そう言うと、ベルモットはフーッとタバコの煙を吐き出した。

　対向車のライトが後部座席まで届き、ベルモットを照らし出す。そこに座っていたのは、殺人現場に居合わせていた七人の容疑者の一人——クリス・ヴィンヤードだった。

後日。

コナンは阿笠博士の家で、工藤新一の声を出して目暮警部に電話をかけた。

「とにかく警部！　この事件にボクが関与した事は内密にしてください…」

『それはいいが、いったいどーなっているんだね？　殺された呑口議員の家族は蒸発するし、被疑者の枡山会長の家は全焼するし、何がなんだかワシには…』

「今はまだ何も言えません…わかったら連絡しますから…」

そう告げると、コナンは『お、おい工藤君？』と引き留めようとする目暮警部を無視して、電話を切った。

呑口議員の家族が蒸発したのも、ピスコの家が全焼したのも、組織との関わりを警察に悟らせないために仕組まれたことなのだろう。

電話を終えたコナンのもとへ、灰原が松葉杖をつきながら歩み寄る。ジンに銃で撃たれたせいで、灰原は身体のあちこちに怪我を負っていた。

「そう…疑わしき者はすべて消去する…これが彼らのやり方よ…。わかったでしょ？　私達は正体を誰にも気づかれちゃいけないって事が…」

灰原の警告に、コナンは険しい表情で答えた。

「ああ…よーくわかったよ…。奴らを絶対ぶっ潰さなきゃならねーって事がな!!」

残された声なき証言

DETECTIVE CONAN

BLACK ORGANIZATION SELECTION

とある冬の日の、毛利探偵事務所。

毛利小五郎はソファにふんぞり返り、ご機嫌でニュース番組の録画を見ていた。報じられているのは、先日起きたとある殺人事件について。テレビ画面の中でリポーターたちがマイクを向けるのは、事件を解決した名探偵――小五郎、本人だ。

『ちょっとすみません、毛利探偵!!　今回の殺人事件の事でちょっと話を…。逮捕された南雲氏は息子の伸晴さんが、風見さんに受けた暴力に耐えかねての犯行だと供述しているそうですが…本当の所どうなんですか？』

『彼がそう言っているのだからそうなんでしょう…。私は、彼が使った凶器消失のトリックを暴き、証拠が出る前に自首した方が賢明だと助言しただけですから…』

シリアスな面持ちでそうコメントすると、小五郎は『では…』と、ひらりと身をひるがえした。

『あ、毛利さん……』

『毛利さーん!!』

リポーターたちが呼び止めるが、小五郎は軽く片手を挙げ、そのまま去って行ってしまう。そんなテレビの映像を見ながら、小五郎は満足げに微笑んだ。

「ウーン、男は黙って背中で語る…」

しみじみと言うと、突然しまりのない笑顔になって、

「オレ、カッチョイイ～♡」

と自画自賛する。

隣で一緒にテレビ番組を見ていた江戸川コナンは、すっかりシラけていた。

(――ったく…いつもは事件後のニュースなんて不思議そうに見てんのに…たまにちゃんと起きて、事件解決するとこれだからな……)

殺人事件に遭遇すると、小五郎はコナンに麻酔針で眠らされ、知らない間に事件を解決してしまう。でもこの間の事件では、珍しく小五郎が自分の力で推理して、犯人を突き止めたのだ。滅多にないことなので、小五郎はここぞとばかりに調子に乗っていた。

「巻き戻し、巻き戻し…」

小五郎はリモコンを手に取ると、いそいそと録画映像を巻き戻した。

(まぁ、おっちゃんを名探偵にするのは、黒ずくめの男達の情報を得るためだから仕方ねえけど、来ねーんだよなァ…)

コナンは、小五郎に付き合ってテレビ番組を見るふりをしながら、そう心の中でつぶやいた。小五郎を有名な名探偵に仕立て上げれば、黒ずくめの組織に関する手掛かりが舞い込んでくる――そう考えていたのだが、結局今のところまで、なかなか思うような情報は手に入っていない。

（今まで接触した奴らの組織の一員と断定できる人物は、七人…）

コナンは、これまでに会った黒ずくめの組織の面々を順番に思い浮かべた。

（トロピカルランドで妙な薬を飲ませて、オレの体を小さくしやがったジンとウォッカ…10億円強奪事件で奴らに射殺された広田雅美……新作ゲームの発表会で爆死したテキーラ…酒巻監督を偲ぶ会でジンに口封じされたピスコ…妙な薬の人体実験前に逃亡し警察に捕まった沼淵己一郎……そして、広田雅美の妹で組織にその妙な薬を作らされていた「シェリー」のコードネームを持つ灰原哀……）

灰原は現在、阿笠博士の家で暮らし、ふつうの小学生のふりをしてコナンと同じ小学校に通っている。しかし、身体が小さくなる前は、黒ずくめの組織の研究者として、薬の開発に関わっていたらしい。

（広田雅美の本名は宮野明美で、ピスコは灰原の事を「志保ちゃん」って呼んでたから、灰原の本名は恐らく宮野志保……。わかっているのは奴らが暗殺を繰り返しながら大金を集め、妙な薬を作り、有能なコンピュータプログラマーを集めようとしている事…一体何のために…？　まさか金かけてどえらいゲームを作ろうってんじゃあるめーし…）

その時、事務所の電話がジリリ……と鳴った。

蘭がすぐに気が付いて、受話器を取る。

「はい、毛利探偵事務所…」

電話に出た蘭はすぐ、「え？」と聞き返した。

「ゲーム？」

（え？）

コナンは驚いて蘭の方を見た。

蘭は、近くにあった紙にメモを取り始める。

「ゲームのシステムエンジニアが行方不明で…はい…はい…その人を捜して欲しいんですね？」

どうやら、人探しの依頼らしい。

テレビ番組の録画を見ていた小五郎が、声を潜めて蘭に言う。

「おい…オレならいないって言っとけ！　この後始まる、沖野ヨーコちゃんのドラマの再放送をＣＭカットで録らなきゃいけねえからよ！」

「………」

蘭は横目でちらりと小五郎の方を見ると、受話器に向かって愛想よく言った。

「あ、今から来られても大丈夫ですよ！　お父さん、今日はヒマみたいなんで…」

「お、おい!?」

小五郎が慌てて抗議するが、蘭はそのまま電話を終えてしまった。そして、じろっと小五郎の方をにらみながら、

「ホラ、ヒゲそってネクタイ直して！」

と、小五郎を急かす。せっかく依頼人からの電話があったのに、アイドルのテレビ番組を録画するために断るなんて、蘭は絶対に許さないのだ。

「は、はい…」

小五郎は力なくうなずいて、ネクタイを締めなおした。

さっきの蘭の会話からすると、どうやら人捜しの相手はゲームのシステムエンジニアのようだ。

（ゲームのシステムエンジニアが行方不明…）

コナンの頭の中をよぎるのは、黒ずくめの組織の影だ。彼らは優秀なコンピュータプログラマーを集めていたはず。もしかして、行方不明のシステムエンジニアは、組織と何か関わりがあるのではないだろうか。

（まさか…まさか……）

可能性に思いを巡らせ、コナンはギリッと奥歯を噛みしめた。


毛利探偵事務所にやって来たのは、三人の男達だった。

髪を明るく染め、しゃれたパーマをかけているのは、三十九歳の須貝克路。髪の薄い小太りの男は、四十七歳の内藤定平。そして、髪を長めに伸ばした眉毛の濃い男は、四十四歳の相馬竜介。三人とも、ゲーム会社の社員だという。

依頼人達は、応接間に通されると、あいさつもそこそこに小五郎に一枚の写真を渡した。

黒ぶちのメガネをかけた、中年の男性が写っている。

「ホー…この人が一週間前に姿を消したシステムエンジニアの板倉さんですな…」

小五郎は写真を見ながら言うと、「で？」と依頼人達の方に視線を向けた。

「行方不明になったのは、今回が初めてじゃないというのは本当ですか？」

「ええ…依頼を受けたゲームのシステムの納期が迫って来ると、よくいなくなるのよ…。誰にも邪魔されず一人になった方が、集中できるって言ってね…」

そう言って、須貝が肩をすくめる。

「まあいつもの通り、催促の電話を避けられての事だとは思うんだが…」

内藤が苦笑いで言い、相馬は不愉快そうに眉をひそめた。

「こっちとしても、いつまでも指くわえて待ってるわけにはいかねーし……前に姿をくらまされた時、警察沙汰にしちまって後でえらく怒られたから、あんたに捜してもらおうってわけだ！」

「ホ――…」

うなずく小五郎の後ろで、コナンはすっかりシラけていた。依頼人達に話を聞く限り、エンジニアが締め切りから逃れるために失踪しただけのようだ。

（なーんか、奴らとは関係なさそうだな…）

「ですから彼の居場所がわかりましたら…ぜひ私共へ一報を…」

そう言って内藤が名刺を差し出すと、相馬が「おい、ふざけるな！」とにらみつけた。

「金を一番出してんのは、オレん所だぞ!!」

するとすかさず、須貝も口を挟む。

「ちょっと！　今回彼にシステムを依頼したのは、ウチの会社が最初じゃない！　まずはウチに連絡してもらうのが筋でしょ？」

「あのー…あなた方は同じ会社の人じゃないんですか？」

小五郎が戸惑いながら聞いた。

最初の自己紹介で、三人ともゲーム会社の社員だと言っていたので、てっきり同じ会社に勤めているのだと思ったのだが、どうやら違ったようだ。

三人が改めて、自己紹介をする。

「私は板倉さんに囲碁ソフトのシステムを依頼した、須貝よ！」

「私は内藤という者…彼にチェスのソフトを…」

「オレが頼んだのは将棋ソフト…名前は相馬だ…」

三人は板倉に対して、それぞれ同時期に、囲碁、チェス、将棋のゲームのシステムを依頼していたらしい。

「し、しかし一人で一度に三種類のゲームなんか作れるんですか？」

小五郎が聞くと、須貝は前のめりになって言った。

「だから捜して文句いうのよ！　話が違うって!!」

「日を違えてこの三人が話を持って行った時は、奴さん涼しい顔でこう言ったんだよ…。

『今はどことも契約してないから任せろ』ってな！」

相馬もいまいましげに言う。

「じゃあ彼が掛け持ちしているって、いつわかったんですか？」

「一週間前に彼から三人のPCに音声と画像付きのこのメールが届いたんです！」

小五郎が質問を重ねると、内藤はノートPCを開いて、板倉から届いた画像を見せた。

椅子に座った板倉が映し出されている。

『いやーやはり一度に三つは疲れるねぇ…。ここのところ心臓の具合もいいみたいだし…

しばらく事務所を離れてのんびりやらせてもらうから、まぁ気長に待っててくれよ…』

「あれこの人…」

板倉の画像を見て、蘭がつぶやいた。

「写真じゃ眼鏡掛けててわからなかったけど……コンピュータグラフィックスで有名な板

倉卓さんじゃないですか？」

「ええ…彼、人前に出る時はコンタクトにしてるのよ…」

須貝がうなずき、小五郎は怪訝そうに、

「知ってるのか？」

と、蘭の方を振り返った。

「ホラ、映画のクレジットによく名前が出てるじゃない！　特殊視覚効果板倉スタジオって！」

蘭は声を弾ませて、小五郎に説明した。

「…だが三年前に目を悪くしちまって、それ以来CGから手を引いて今はシステムの開発に専念してんだよ…」

相馬が残念そうに言う。

「でも…そんな有名人ならもしかして誘拐されたという事も…」

小五郎がそう推測すると、内藤は、

「そんなまさか…」

と首を傾げた。

「いや…あの男ならやりかねねぇな…」

相馬はひとりごとのように呟くと、表情を険しくして続けた。

「二年ぐらい前に板倉さんの事務所に行った時に見かけたんだ…口ヒゲを生やして関西弁をしゃべる怪しい大男をな…」

（口ヒゲ…関西弁…大男…？）

相馬が口にした男の特徴に、コナンは心当たりがあった。

「探偵さんやあんたらも見てるはずだぜ？　その男、満天堂の新作発表会にも来ていたからよ…」

続く相馬の言葉を聞いて、コナンはいよいよ（え？）と目を見開いた。

「ああ…あの人相が悪い男の事か……」

「いたいた！　上から下まで黒で決めてる怖そうな大男…」

内藤と須貝が口々に言う。三人ともゲーム関係者だけあって、あの会場に来ていたようだ。関西弁の大男。そして、満天堂の新作発表会に来ていた、黒ずくめの人物といえば

――

（テキーラ!!!）

コナンは血相を変え、相馬に詰め寄った。

「ねえ、その大男、何て言ってた⁉」

「え？」

「事務所で板倉さんと、いったい何の話を⁉」

コナンの勢いに戸惑いつつ、相馬は「し、知らねーよ…」と答えた。

「オレが行った時は、もうその大男が帰るところだったから…。『あんたにはもう用はないわ』ってな‼」

「ちょっとコナン君、どーしたのよ？」

蘭が、コナンを後ろから抱きかかえる。コナンが突然、真剣な様子で大人の会話に口を挟んできたので、みんな驚いてしまったようだ。

残念ながら、相馬はテキーラとほとんど接触していないようだった。テキーラについて、これ以上の手掛かりは出て来ないだろう。

（くそっ、こーなりゃ…行方不明の板倉さんを捜し出して、直接聞くっきゃねぇ‼）

小五郎は内藤からPCを受け取ると、板倉の画像を改めて見つめながら、

「確かその大男は、あの時の爆発に巻き込まれて死んだと聞きましたから関係ないでしょ

う……問題はこの画像だけでどーやって彼を捜すかだ……」

と、難しい顔でぼやいた。板倉がいる部屋は、将棋とチェスと囲碁の盤が置いてあるほかは、特に変わったところなどはない。特定するのは難しそうだ。

「どこかのホテルの一室だとは思うんだけど…」

「ホテルは客のプライベートにかかわる事は教えてくれませんし…」

須貝と内藤が、口々に言う。

「どーせ顔バレしねーように、サングラスでもかけて偽名で泊まってるだろーしな……」

と、相馬もあきらめたような口調だ。

小五郎に任せていては、いつまで経っても板倉にはたどり着けないだろう。コナンは、助け船を出すことにした。

「ねェ、蘭姉ちゃん！　ボク今晩、お刺身と天津飯とビーフシチューが食べたいなー!!」

蘭の方を振り返り、いかにも子供らしい口調で言う。無茶な注文をされ、蘭は困った顔になった。

「ちょっとそれ、和食と中華と洋食じゃない！　そんなのファミレスにだってなかなかそろってないわよ？」

「じゃあその三つを一人で注文したら、変なお客さんだと思われちゃうね！」

コナンの言葉を聞き、小五郎は、

（変なお客さん…？）

と、引っ掛かりを覚えた。

再度、板倉の送って来た画像をまじまじとながめてみる。

（そーいえばこいつ…将棋盤と碁盤とチェス盤を部屋に……）

これらの盤は、いったいどこから持って来たのだろうか。

小五郎は真剣な表情になって、依頼人達に聞いた。

「彼が姿を消す前に、仕事場から何か持って行ったとか聞いてませんか？」

「愛用のノートPCと、データディスク数枚をカバンに詰めて出て行ったと、彼の事務所の方が……」

「じゃあそれ以外は何も持ち出していないんですな？」

内藤に念押しして、小五郎はうっすらと笑みを浮かべた。

板倉を捜し出すための、いい方法を思いついたのだ。

板倉の部屋にあった将棋盤と碁盤とチェス盤は、板倉が家から持って来たものではないらしい。だとすれば、ホテルで借りたということだ。三つの異なるゲームを同時に借りる客などめったにいないので、きっとスタッフの記憶に残っているはず。

そこで、板倉を捜し出すため、小五郎は板倉になりすます作戦を思いついた。まずは、鼻をつまんで声色を変え、

「どーなっているんだ、このホテルは!?」

と、怒ったふりをして、ホテルのレセプションに電話をかける。

当然、レセプションのスタッフは、

『は？　どちら様でしょうか…？』

と、戸惑った反応をする。そこですかさず、こう怒鳴るのだ。

「将棋とチェスと囲碁の道具を一式借りた者だよ!!　急に部屋の電話が通じなくなった!!　今、携帯電話でかけているんだが、早く何とかしてくれ!!」

『当ホテルではそのような物はお貸ししておりませんが…』

スタッフに冷ややかな声で言われ、小五郎は慌てて謝った。

「あ、すみません、間違えました…」

チンと電話を切り、またすぐに、次のホテルに電話をかける。

「えーっと、次は…ホテルニュー米花っと…」

こうして、心当たりのホテルを順番にあたっていけば、いつか板倉のいるホテルが見つかるかもしれない。電話をかけ続ける小五郎を、コナンはじっと見つめた。

(将棋とチェスと囲碁を一人で借りたまま、一週間も滞在している客なんて滅多にいない…。そんな変わった客、噂になって…ホテルの従業員なら知らない人はいないはず…)

小五郎は、電話に出たスタッフに向かって、鼻声で怒鳴っている。

「今、携帯でかけているんだが早く何とか…」

『ああ…2004号室の板倉様ですね?』

電話の向こうでスタッフが言い、小五郎は慌ててうなずいた。

「あ、ああ…2004号室の板倉だ…」

『では、すぐにそちらに係の者を向かわせますので…』

「お、おやぁ？　電話のコードが抜けていただけのようだ…。いやー、申し訳ない!!」

小五郎は慌てたような芝居を打ち、さっさと電話を切ってしまった。

作戦は成功だ。これで、板倉のいるホテルを特定することが出来た。

（ホテルニュー米花の…２００４号室!!）

コナンは小さく唇の端を上げた。


さっそくコナンたちは、相馬の運転する車で、ホテルニュー米花へと向かった。コナンも、蘭と一緒にちゃっかり後部座席に乗り込む。

車が発進すると、助手席に座った小五郎はゲンナリして、コナンと蘭の方を振り返った。

「――ったく、なーんでおまえらついて来るんだよ!? 邪魔なだけだろーが!!」

「だってコナン君が…」

蘭が困ったように、膝の上のコナンに視線を向ける。

「ズルイよ、おじさん！　用が済んでお金もらったら、ホテルのおいしいお料理一人で食べる気でしょ？」

コナンが無邪気なふりをして言うと、小五郎はギクッとした表情になった。どうやら、図星だったらしい。

「まあいいじゃない、探偵さん！」

「ちゃんと板倉さんが見つかったら、娘さん達の分も我々がごちそうしますから…」

須貝と内藤が、やんわりとたしなめる。

そんなことを言いあっているうちに、車はあっという間にホテルニュー米花へと到着した。小ぎれいな、よくあるビジネスホテルだ。

車を停め、一行はホテルの中に入って行った。

「フン…ここが奴さんの隠れ家ってわけだな…」

相馬がつぶやく。

小五郎は不思議そうに、三人の依頼人の方を振り返った。

「しかし妙ですな…あなた方三人は、商売敵でしょ？　どうして三人一緒に私の所へ…」

三人とも板倉に仕事を依頼しているのだから、商売敵より早く板倉を見つけて先に自分の仕事をやってもらった方が、得なはずだ。それなのに、須貝たちはどうして、三人一緒に小五郎のところへ来たのだろう。

「あのメールで彼が三つ掛け持ちで仕事をしてるってわかったから、他のゲーム会社に電話をかけまくったのよ！」

「こっちも奴さんを捜してたからよ、担当者三人で会って話そうって事になってな…」

須貝と相馬が、順番に言う。

続いて内藤が、

「それで私が、毛利さんに頼もうと思いつきまして…」

と説明すると、須貝は慌てて反論した。

「それ私でしょ？　探偵に頼もうって言い出したの！」

「いや、毛利さんの名前を出したのは私だよ！」

内藤が心外そうに言い返す。そこへ相馬が、

「バーカ、電話で話をつけたのはオレだっつーの！」

と、さらに口を挟み、三人とも「誰が先に小五郎に依頼したのか」というどうでもいいことで喧嘩を始めてしまった。

「──ったく…」

小五郎はため息をつくと、腕時計を見て時間を確認した。

(あーあ…ヨーコちゃんのドラマ終わってるよ…。こんな事なら金だけもらって、こいつ

らだけで会いに行かせりゃよかった…)

「あら、そんな安物の時計してると嫌味言われるわよ!」

須貝に言われ、小五郎は「え?」と振り返った。

「板倉さん、時計にうるさいんです…。だから、ホラ!」

そう言って、内藤は自分のしている腕時計を小五郎に見せた。

「オレ達も…」

相馬もつぶやいて、腕時計を見せてくる。須貝も、無言で手首を持ち上げた。確かに三人とも、かなり高級そうな腕時計をつけている。

「あなた達のそれ、本物なの?」

須貝がじろっと二人を見やる。

「バカヤロォ、五日前に買った新品だぞ!」

相馬が即座に言い返し、内藤も、

「君のこそ、ニセ物じゃないのかい?」

と、嫌味を返した。

足並みのそろわない依頼人達に、小五郎は、「はぁ…」と再びため息をついた。

板倉がいる2004号室に向かうため、一行はエレベーターに乗り込んだ。

「あ、内藤さん、20階を押してください…」

小五郎に言われ、内藤は階数ボタンの隣の点字表示を触りながら、

「えーっと…」

と、二十階のボタンを押した。

ウィイイン……

エレベーターが動き出す。

「きっと板倉さん、みんなが来たらビックリしちゃうね！」

蘭に言われ、コナンは「う、うん…」とあいまいにうなずいた。

(でもいいのか？　このまま部屋に向かっても…。板倉さんは、黒ずくめの男達の組織の一員のテキーラと係わった人間だぞ…。このまま、蘭やおっちゃんやこの人達と安易に行って…本当に大丈夫なのか？)

コナンの胸中に、不安がこみ上げてくる。

（しかもテキーラが去り際に板倉さんに言った言葉は、「あんたにはもう用はない」…つまり「用済みだから殺してやる」とも取れるじゃねーか！　もしも板倉さんが奴らの仲間で、奴らが彼を消すためにこの近辺に潜んでいたとしたら…。いや、もしかしたらもう部屋の中に…）

ドックン、ドックン……

コナンの胸の鼓動が大きくなっていく。

（バーロ…何焦ってんだ、落ち着けよ…）

コナンはそう自分に言い聞かせた。

（テキーラがそう言ったのは二年前…。奴がそのつもりなら、もうとっくに板倉さんは殺されているはずだ…。それに板倉さんが組織の一員なら、テキーラと会っている最中に、部外者であるこの相馬さんを入れたりはしない…。テキーラの事を簡単に他言するような人間を、事務所内にはな…）

先ほど相馬は、毛利探偵事務所で、テキーラが板倉の事務所に来た二年前のことをあっさりと小五郎に話していた。つまり、板倉はテキーラについて、相馬に口止めなどは特にしていなかったということになる。もしも板倉が組織の一員なら、テキーラとのやり取りに関してもっと緊張感を持っているはずだ。

(とにかく板倉さんに会って、うまく話を聞き出さなきゃいけねぇな…。テキーラは一体何の目的で、彼の事務所を訪れたかを…)

考えている間に、エレベーターは二十階へと到着した。

チンと音を立てて扉が開く。

一行はまっすぐ2004号室に向かい、チャイムを押した。

しかし、何度鳴らしても、板倉は出てこない。

「変だな…、ドアに『起こさないでくれ』って札がかかってるのに…」

小五郎が、ドアノブにかかったプレートを見て首をひねる。

「飯でも食いに出てんだよ…」

相馬が言うと、須貝は明るく、

「じゃあ部屋の前で待とうじゃない?」

と、提案した。

その時、近くの部屋の宿泊客が、ボーイと一緒に歩いて来た。部屋の前まで来ると、ボーイがマスターキーを使って扉を開けた。

「どうもお手数かけてすみません…」

宿泊客が恐縮して言う。どうやらこの宿泊客は、鍵を持たず部屋の外に出て、締め出されてしまったらしい。

「自動ロックですので鍵は必ず持ち歩いてくださいね！」

ボーイが丁寧に言葉を返すのを聞いて、コナンはすかさず、「ねえボーイさん！」と声をかけた。

「ボクのおじさんの部屋も開けてくれない？」

「え？」

「ボク達が来るのを忘れて、どっかに出かけちゃったみたいなんだ……」

そう言うと、コナンは身体を揺らしながら、切羽詰まった表情で急かした。

「ねぇ早く！　オシッコ漏れちゃうよ！」

「あ、ああ…」

急かされて、ボーイが鍵を取り出す。子供のコナンが必死な様子で頼んだので、開けてやることにしたらしい。

「さあ、どうぞ！」

ボーイが板倉の部屋の扉を開ける。

「い、いやあ、すみません…」

小五郎がお礼を言う間に、コナンはタタ…と部屋の中に入り込んだ。

「やるじゃないか、ボウヤ！」

内藤が、声を弾ませてコナンを褒める。

「だって板倉さんが帰って来た時、みんなが部屋の前にいるのを見たら逃げちゃうかもしれないし。部屋の中で待ってた方が、ビックリさせられるでしょ？」

コナンが無邪気に説明すると、部屋の奥をのぞき込んだ須貝が、

「でもボウヤ…その必要はないみたいよ…」

と、口を挟んだ。

「え？」

「板倉さん、机に寄り掛かってうたた寝してるみたいだから…」

須貝に言われて見てみると、確かに板倉は、机に突っ伏していた。顔を向こう側に向けているので表情はわからないが、コナンたちが来たことに気付いてないということは、おそらく眠り込んでいるのだろう。

「――ったくよォ…」

相馬は、板倉に近づいて肩を揺さぶった。

「おい起きろよ！」

「もう逃げられませんよ、板倉さ…」

内藤も声をかける。

ところが――

ドッ。

相馬に肩を揺さぶられ、板倉はそのまま床の上に倒れ込んでしまった。その目は見開かれ、両手はえりもとをかきむしるような姿勢のまま硬直している。

「え？」

蘭が驚いて目を見張り、内藤はしゃがみこんで、

「お、おい板倉さん!?」

と声をかけた。

小五郎が、板倉の様子を確認して、「ダメだ…」とつぶやく。

「こりゃー、死んでから一日以上はたってるぞ…」

「ええ!? ウ、ウソでしょ?」

板倉が死んでいると聞き、須貝は血相を変えてうろたえた。

「わ、わたし警察呼んでくる!!」

蘭がダッと部屋を出て行く。

「な、何でこんな…」

内藤は呆然とつぶやいて、板倉の様子をのぞき込んだ。

「恐らく心臓発作でしょう…」

そう言うと、小五郎は板倉が突っ伏していた机の上に視線を投げた。

「ホラ、机の上に心臓病の薬が散らばっている…。急な発作に襲われて薬を飲もうとしたが、ばらまいてしまってとうとう飲めずに死んでしまったんだ…」

確かに机の上には、フタの開いた薬の瓶が倒れていた。中の錠剤が、机の上に散乱している。

「——ったく…一人で雲隠れなんかするからだよ…」

相馬が顔をしかめてつぶやく。

本当に板倉は、薬を飲み損ねて死んでしまったのだろうか? コナンは板倉の遺体をの

ぞき込み、その様子を観察して、

（いや、違う…）

と確信した。

（板倉さんは病気で自然に死んだんじゃない…誰かが病死に見せかけて殺したんだ…。でもなぜだ…）

黒ずくめの男たち――ジンとウォッカを脳裏に思い浮かべ、コナンはぎゅっと目を閉じた。悔しさがこみ上げてくる。

（どうしていつもあと一歩のところで、奴らの手掛かりが消えちまうんだ!! どうして…どうして…）

何か、黒ずくめの組織にたどりつく手掛かりはないか。部屋の中を見まわし、コナンは置きっぱなしになっているバッグに目を留めた。板倉の私物だろう。バッグは口が開いていて、中に一枚のフロッピーディスクが入っているのが見える。フロッピーディスクのラベルには、「日記」と書いてある。

（日記!?）

コナンは、バッグの中のフロッピーディスクをじっと見つめた。

フロッピーディスクとは、データファイルを保存する記録媒体のこと。USBメモリなどが登場する前は、広く一般に使われていた。

(二年前…テキーラに会ったっていう板倉さんは死んじまったけど…板倉さんがあのディスクに毎日日記を書き込んでいたとしたら、わかるかもしれねぇ…。テキーラが板倉さんに会いに来た目的が…)

コナンはゆっくりと、バッグの方へ近づいた。

(黒ずくめの男達が、一体何をしようとしているかが…これを見ればわかるかも…)

おそるおそる、バッグの中のフロッピーディスクに手を伸ばす。

しかし、あともう少しのところで、小五郎に見つかってしまった。

「コラァ!! 死んだ人の持ち物に触ってんじゃねぇ!!」

小五郎に上着をつかんで持ち上げられ、コナンは「おわっ」と身体を泳がせた。

「――ったく…ちょっと目を離すとすぐこれだ…」

シッシッと追い払われ、コナンはあきらめてバッグから離れた。

(くそ…やっぱ手は出せねぇか…。大事な証拠品の一つだし…)

小五郎はバッグの近くにしゃがみこみ、中身を確認し始めた。これでは小五郎の目を盗んでバッグに近付くのは、難しそうだ。

（あの日記の中身を見るには…わからせなきゃいけねぇみてーだな…。板倉さんは心臓病で自然に病死したんじゃなく…誰かにそうさせられたって事を…。そして、その犯人がこの三人の中にいる可能性が高いって事を…）

コナンは、依頼人達に視線を向けた。須貝、内藤、相馬の三人は、青ざめた表情で、板倉の遺体をこわごわとのぞいている。彼らの中に、板倉を殺した犯人がいるのかもしれない。


蘭の通報を受けて現場へとやって来たのは、目暮警部と高木刑事だった。二人とも、コナンたちとは顔見知りだ。

目暮警部はさっそく、板倉の遺体を確認しながら被害者の情報を確認した。

「ホー…亡くなったのはゲームのシステムエンジニアか…」

「ええ…名前は板倉卓さん、45歳…。数年前までは映画の特殊視覚効果や、CGとかで有名だった方です…」

高木刑事が説明すると、目暮警部は遺体の顔をまじまじと見つめた。

「そういえばTVで二、三度見た顔だなぁ…。それで死因は？」

「詳しく調べてみないと断定はできませんが…目立った外傷もありませんし…板倉さんが冠動脈拡張剤を服用していた事からすると…恐らく急な心臓発作に襲われて亡くなられたかと…」

検視官は、手に持った板倉の心臓の薬を見ながら言うと、遺体に視線を移した。

「角膜の混濁の程度や、死後硬直の状態から見て、死後二日ってところでしょうか…」

と、そこへ、千葉和伸刑事が「警部！」と駆け寄って来た。

「板倉さんの主治医と連絡が取れました…」

「で？」

「板倉さんの心臓の具合は一日三回、常に薬を飲まないといけない程かなり悪化していて、今抱えている仕事を終えたらすぐに手術をする予定だったそうです！」

千葉刑事の報告を聞き、目暮警部は「ウーム」とうなった。

「つまりこれは殺人ではなく病死…。どうやら……今回は君の出番はないようだな…。眠りの小五郎君？」

「いやぁ、そのようで…」

小五郎が、苦笑いで頭をかく。

目暮警部は、いつもいつも事件の現場に居合わせる死神のような小五郎に、すっかりあきれているのだった。

「しかし、死後二日もたっているのに、何でホテルの人は気づかなかったんでしょうか？ ベッドメイクの人とか来そうなもんなのに…」

高木刑事が疑問を口にすると、依頼人達が順番に口を開いた。

「彼は仕事場に他人が入るのをすごく嫌う人でね…」と、内藤。

「この前も、机の上の書類が10cm動いてるってもうカンカン…」と、須貝。

「まぁ自宅のベッドシーツも半年に一回しか換えねぇ奴だから、ベッドメイクは断ったんだろうよ…」と、相馬。

目暮警部は、三人を胡散臭そうにじろっと見比べた。

「誰だね、あの三人は？」

「板倉さんにゲームのシステムを依頼していたゲーム会社の社員ですよ！ 一週間前に仕事場から姿を消した板倉さんを捜してくれと、彼らが頼みに来ましてね、それでこの私めが名推理を働かせ、電光石火のごとく、ここにたどり着いたんっスよ！」

「で？　居場所を突き止めたのはいいが、もう亡くなっていたというわけか…」

目暮警部は、再び板倉の遺体をのぞき込んだ。

「ええ…」

うなずくと、小五郎も遺体の脇にしゃがみこむ。

「まあ、心臓が悪いのにホテルにこもって、シーツも換えずに不摂生をしてたんならこうなるのも無理ないな…」

「そうかなぁ…。このおじさん、きれい好きだと思うけど…」

コナンが横から口をはさむと、小五郎は「あん？」と片眉を上げた。

「だってボク達がこの部屋に来た時、おじさんはイスに座って机に顔を押し付けていたのに、机の上には何も跡が残ってないもん！」

「跡？」

小五郎は立ち上がり、板倉が突っ伏していた机の上をのぞき込んだ。

「ヨダレの跡だよ！　普通こんなにヨダレが垂れてたら机にも付いちゃうでしょ？　きっときれい好きなこのおじさんがふいたんだよ！」

板倉の遺体は口がだらりと半開きになり、そこから大量の唾液が垂れた跡がある。それなのに、コナンの言うように、机の上にはヨダレの跡がなかった。

「バーカ!!　心臓発作で苦しんでる男が薬を飲む前に机なんかふくかよ！」

小五郎がバカにして言うと、その後ろから目暮警部が、

「じゃあ、誰がふいたんだね？」

と聞いた。

「さ、さあ…誰でしょう…？」

小五郎は、答えに詰まって目を泳がせてしまう。

「それに、板倉さんがイスに座って机に突っ伏していたなんて事、まだ聞いとらんが…」

目暮警部にじとっとにらまれ、小五郎は慌てて説明した。

「あ、いや、ゆすったら床に…」

「そうだとしたら妙な点がもう一つありますよ！　遺体の手の甲です！」

小五郎たちの会話を聞いた検視官が、即座に言った。

板倉の遺体の両手は、首をかきむしろうとするような姿勢で硬直している。

「机に突っ伏していた遺体の手が、この位置で死後硬直しているというのなら、手はずっ

と机と体に挟まれていたはず…。なのに、その跡がどこにも見当たりませんねぇ…」

検視官が言うように、確かに板倉の遺体の両手に、机との間に挟まれた跡などは何もない。


「まさか、板倉さんは机とは別の場所で亡くなったんじゃ…」

「ですが警部殿！　遺体の手や足は、完全にこの形で硬直しているじゃないですか！」

小五郎は、冷や汗をかきながら反論した。

「机に突っ伏して手を体と机に挟んでないと、腕はダラッと下がってしまいますし、イスに座っていないと足は曲がったまま固まりません！　誰かが板倉さんをその状態でイスに縛りつけでもしないとそんな事は…」


「え？」

目暮警部がつぶやき、その表情を見て、小五郎も「あ…」と気が付いた。

「そうか…恐らく板倉さんはイスに座らされ、両手を胸に当てたまま縛られて、飲まなければならない薬を飲めなくされたんだ…」

目暮警部が低い声でつぶやく。

小五郎は表情を険しくして、板倉の遺体に視線を落とした。

「じゃあ、まさかこれは…」

「ああ…我々やおまえさんの得意分野…。殺人だよ…」

目暮警部が断定すると、依頼人達の表情に緊張が走った。

「そ、そんな…」

蘭が声を震わせる。

「しかしそうなると、遺体に縛られた跡があるはずだが…」

小五郎が遺体を確認しながら言い、

「どうですか、検視官！」

と、目暮警部は勢いよく検視官に呼びかけた。

「そんな明確な跡は残っていませんが、広範囲にわたって、外部から圧迫されたような、うっすらと鬱血した跡なら、肩から膝上までの間に認められますけど…」

検視官が遺体の服をめくって説明する。

「どういう事だ？」

目暮警部は、わけがわからず首をひねった。

その後ろで、コナンはベッドの毛布をバフッと持ち上げた。

「わー、この毛布、柔らかくてあったかそー！　でも何だコレ？　所々ベトベトしてるぞオ…」

わざとらしい口調で言って、目暮警部の意識を毛布に向けさせる。すぐに蘭が飛んできて、

「コラ！　ダメでしょ!?」

とコナンを抱え上げた。

その様子を見ながら、目暮警部は「………」と考え込み、すぐにはっとして言った。

「そ、そうか！　毛布だ!!　犯人は恐らく板倉さんの体を毛布で包んでからイスに座らせ、その上からガムテープでぐるぐる巻きにしたんだよ！　膝と胸の間に枕か何かを挟んで、机に寄り掛かるような体勢を作ってな！」

目暮警部の推理に、千葉刑事が「なるほど」と納得する。

「そうすれば、縛った跡は残りませんね！」

「だとすれば、イスを固定したのはこの備え付けの机の足ですね……。一応ふき取ったようですが…まだ少しガムテープの粘着剤が残っています…」

高木刑事が、板倉が突っ伏していた机の足を見ながら言う。

「つまり犯人は、薬か何かで板倉さんを眠らせた後、その状態でイスに縛り、机に固定していったん部屋から出て行った…。そして、板倉さんが心臓発作で亡くなり死後硬直が全身に広がった頃に再びやって来て、ガムテープと毛布を解き、体の向きを変えて、机に突っ伏して病死したように偽装したというわけか!!」

目暮警部は手早く推理をまとめると、高木刑事と千葉刑事に視線を向けた。

「よーし、ホテル従業員に聞き込みだ!!　この二、三日の間不審人物が訪ねて来なかったかとな!!」

「はい!!」

威勢よく返事をして、高木刑事と千葉刑事が走っていく。

目暮警部の言葉を聞き、小五郎は何か思い出すことでもあったのか、

「ホテルか…」

とぼんやりとつぶやいた。

「ん?」

目暮警部が、じろりと小五郎を見る。

「いえね、この部屋を突き止めるために、板倉さんのフリをしてこのホテルに電話をした

んです…。『将棋とチェスと囲碁を借りた者だが、急に部屋の電話が通じなくなり、今は携帯電話でかけている、早く何とかしてくれ』って！」

小五郎がこの部屋に来た経緯を説明すると、目暮警部は「ホー…」とつぶやいた。

「それでうまくこの部屋番号を聞き出せたんですが、その後電話の向こうで笑ってたんっスよ…『またですか？』って…」

目暮警部は、勢いよく身を乗り出した。

「なに？　じゃあ、君と同じ手で、この場所を突き止めた奴がいるかもしれんじゃないか!?」

「いやしかし、この毛利小五郎と同じ頭脳を持った人物なんてそうザラには…」

小五郎がへらへらと笑いながら言う。

と同時に、高木刑事が部屋の中に駆け込んできた。

「警部、いました！　板倉さんのフリをして部屋の電話が通じなくなったと電話して来た不審人物が！」

「あ、いたのね…」

小五郎が目をテンにしてつぶやく。電話をかけてきた人物があっさりと見つかってしまい、気まずいようだ。

高木刑事は、ホテルの従業員に聞き込みをした結果を説明した。

「あとで従業員が部屋へ行ったら、『私じゃない』と板倉さんに追い返されたそうです！　電話の声は、こもったような聞き取りづらい男の声だったと…どうやら犯人は、その人物とみて間違いないですね…」

「しかし君は、何で板倉さんが将棋とチェスと囲碁の道具をホテルから借りているとわかったんだね？」

目暮警部に聞かれ、小五郎は、

「メールですよ…」

と答えながら、三人の依頼人の方へ視線を向けた。

「板倉さんからあの三人に送られて来た、画像付きのメールを見たんです！　どこかのホテルの部屋で、将棋盤とチェス盤と碁盤を前にしてイスに座っている板倉さんの姿をね！」

「なるほど……」

低い声でつぶやくと、目暮警部は依頼人達の顔をじっと見つめた。

「つまり…あなた方三人なら、毛利君と同じ方法を使ってここへ来る事ができたというわけですな？」

「ちょ、ちょっとォ、どうしてそれで私達が疑われなきゃいけないわけ？」

須貝が口をとがらせて言い、相馬も心外そうに眉をひそめた。

「オレ達は、毛利小五郎に板倉さん捜しを頼んだんだぞ!!」

「わざわざ名探偵を連れて犯行現場に戻って来る犯人なんていませんよ!!」

最後に内藤が言うと、小五郎は、

「そりゃそうか…」

と、すっかり納得させられてしまった。

「ウーム…」

目暮警部は難しい顔で考え込む。

「それに、疑うんなら証拠を出してよ！　ここに来たって証拠を!!」

須貝がさらに畳みかけるのを、コナンは「………」と無言で聞いた。

ここまでは、コナンのシナリオ通りに事が進んでいる。目暮警部たちは、板倉が病死したのではないと気付いて、三人の依頼人達を疑い始めた。あともう一押しだ。

（よーし、今だ…）

コナンはほくそ笑むと、ふいに子供らしい口調になって口を挟んだ。

「ね、ねぇ…だったらさー…」

「ん？」

小五郎がふりかえる。

コナンは、部屋の隅に置かれたままの、板倉のバッグを指さした。

「あのバッグの中の日記を見てみれば？　あれって、板倉さんの日記でしょ？　ボク達が来る前に誰が訪ねて来たか、書いてあるかもしれないよ!!」

「ん～？」

小五郎は、バッグの中のフロッピーディスクに顔を近づけた。

「確かに日記と書いてあるが…これはどうやって見るんだね？」

目暮警部は、フロッピーディスクを手に取ると、首をひねった。

「机の上のノートPCで簡単に見れますよ！」

高木刑事が説明するが、目暮警部はピンときていない表情だ。どうやら目暮警部は、パソコンにかなりうといらしい。

「だがオレが犯人だったら…こんなのとっくに消してると思うがな…」

小五郎が、期待していない表情でボヤいた。

ともかく、目暮警部たちはさっそく、フロッピーディスクの中身を確認してみることにした。高木刑事がディスクドライブにフロッピーディスクを入れると、ヴォン……とドライブが動き出してファイルが表示される。

「おっ出たな！」

小五郎が言い、高木刑事はマウスを操作して手際よくファイルを開いた。

「どうやら板倉さんは、五年前から毎日日記をつけていたようですね…」

高木刑事がつぶやくのを聞いて、コナンはニヤリとほくそ笑んだ。

(…て事は…ある…あるぞ!!　二年前、テキーラが板倉さんを訪ねて来た日の日記も…あの中に!!!)

「出ました！　これが一番最近の日記です！」

高木刑事が、テキストファイルを一番下までスクロールして言う。

「三日前か！」

日付を確認すると、小五郎は日記の文面を読み上げた。

「『今日、ホテルの従業員が妙な事を言って来た。もしかしたら、あの三人の誰かにこの部屋を突き止められたかもしれない。まあいいさ…ホテルを替えれば済む事だ』…」

やはり三人の中の誰かが、小五郎たちよりも先に板倉の部屋を訪れていた可能性が高い。

小五郎は、依頼人達の顔をじろりとにらんだ。

「やはり怪しいですな、あなた方三人は…」

「この日記の続きはないのかね？」

目暮警部に聞かれ、高木刑事はテキストファイルを確認した。

やはり、小五郎が読んだ日の日記が最新のようだ。

「ええ…」

高木刑事がうなずくと、コナンはさりげなく、フロッピーディスクの取り出しボタンを押した。

「じゃあボクが元の場所に戻しておいてあげるよ！」

「あ、ああ……」

高木刑事がうなずき、コナンは内心で（おーし！）とガッツポーズをする。

出て来たフロッピーディスクに手を伸ばすが――

「いや…念のために鑑識に回しておこう…」

ギリギリのところで、目暮警部にサッと取られてしまった。

「そうですね…。他の日の日記に、何か手掛かりがあるかもしれませんし…」

高木刑事が同意して言う。コナンは（ゲ…）と焦った。

（やべぇ！　警察に持って行かれたら、もう二度と見られねぇぞ‼　早く事件を解決して、あの日記が事件と関係のない事が証明できればいいんだけど…あの三人の中の誰が犯人なのかも、その証拠も全くつかめてねぇ…）

コナンは依頼人達の様子を観察した。須貝、内藤、相馬は、突然容疑者にされてかなり困惑しているようだ。これからどうしたものかと、三人で深刻そうに話し合っている。

（わかっているのは、内藤さんがチェス…須貝さんが囲碁…相馬さんが将棋のソフトのシステムを板倉さんに依頼していた事だけだ…）

コナンは、何か手掛かりはないかと部屋のあちこちを確認しながら、（落ち着け…）と自分に言い聞かせた。

（何か見落としてるはずだ…犯人の手掛かりを、何か…）

その時、遺体を確認していた検視官が、「警部！」と目暮警部に声をかけた。

「ちょっと…遺体の足首ですがね…左足には、ちゃんと靴下の跡が鬱血しているんですが…」

そう言って、板倉の左足の靴下を脱がせる。すると足首の部分に、靴下のゴムに締め付けられて鬱血した跡が残っていた。

「……」

コナンはさりげなく立ち止まり、検視官と目暮警部の会話を盗み聞きしようとした。

検視官が、板倉の右足の靴下を脱がせる。

「右足にはホラ…靴下の跡がないんですよ…」

（え？）

コナンは驚いて、板倉の足首を確認した。確かに、左足には靴下の鬱血した跡があるのに、右の足首にはない。

「どう思われます？」

検視官に意見を求められ、目暮警部は「さぁ…」と首をひねった。

（靴下の跡がないって事は…死んでしばらくたって、血が通わなくなってからはかせたって事だ…。恐らく板倉さんの死体を見た時、右足の靴下だけ脱げていたのを不自然に思って、犯人がはかせたんだろうけど…)

コナンは思考を巡らせながら、板倉が突っ伏していた机をもう一度確認した。

(こんな所に縛りつけられて…どうして板倉さんは…靴下なんか…)

机の前には、囲碁盤とチェス盤と将棋盤が並んで置かれている。

その中で囲碁盤に目を留め、コナンは「!?」と息をのんだ。

部屋に残されていた囲碁盤には、決定的に不自然な点がいくつもあったのだ。

(そうか、板倉さんはこれを残すために…。間違いない…犯人はあの人だ…)

確信すると、コナンは依頼人達の方を振り返った。

板倉が囲碁盤に残したメッセージのおかげで、犯人がわかったのだ。

(しかも、これをうまく利用すれば…あの日記が、オレの手に…)

板倉の遺体は、司法解剖で詳しい死因を明らかにするため、現場から運び出されていった。

「では検視官…遺体の司法解剖、よろしくお願いします！」

目暮警部に声をかけられ、検視官が「ええ…」とうなずく。

続いて目暮警部は、高木刑事に指示を出した。

「高木君は、被害者の側の日記のディスクを鑑識に…」

「わかりました！」

高木刑事は、日記のテキストデータが入ったフロッピーディスクを、透明なビニールの収納袋にしまった。日記のデータはこのまま鑑識へと回されるのだろう。そうなれば、コナンが読むことはできなくなってしまう。

「問題は、板倉さんにゲームソフトを依頼し、その彼を捜して彼の死体を発見した同じゲーム会社社員のあなた方三人だが…」

目暮警部が、須貝、内藤、相馬を見ながら言う。

「同じじゃないわ！」

須貝が即座に否定する。それぞれの依頼内容を確認するため、三人はそれぞれ、改めて自己紹介をした。

「三人共、別々の会社よ！　私は囲碁のソフトを依頼した須貝！」

「チェスのソフトをお願いしていた内藤です…」

「オレは相馬！　頼んでたのは将棋ソフトだ！」

囲碁、チェス、将棋——三人はそれぞれ、違うゲームのソフトを板倉に依頼していたのだ。内藤は、疲れきった顔で、目暮警部に迫った。

「もう帰してくださいよ！　我々は板倉さんの居場所をつきとめた毛利さんに連れられて、たまたまこの部屋に来ただけなんですから…」

「……」

目暮警部が、じっと内藤の顔色をうかがって考え込む。

「あのー警部殿、私は…？」

小五郎もそろそろ帰りたいらしく、おずおずと目暮警部に声をかけた。

「そうだな…。板倉さんが誰かに殺されたという事はわかったが、その犯人を特定する証拠がまだ出そろっておらん…。毛利君達とあなた方には、後日改めて、警察に御足労願いましょうか…」

目暮警部が言うと、小五郎はほっとしたように表情を明るくした。

「そりゃー助かります！　録画したドラマがちゃんと録れてるか、気になっていたもんで…。んじゃあまぁ、ここはお言葉に…」

『甘えるわけにはいきませんな…』

コナンは、蝶ネクタイ型変声機で小五郎の声を出しながら、会話に割り込んだ。目暮警部と小五郎が、同時にきょとんとした顔になる。

「はぁ？」

目暮警部は、小五郎がおかしなことを言いだしたと思って、怪訝そうに小五郎の様子をうかがった。

「あ、いや、今のは…誰？」

小五郎は小五郎で、どこからともなく自分の声が聞こえてきたので、不思議そうにきょろきょろしている。

『このまま容疑者を帰す手はないと言っているんです…』

続けて小五郎の声を出しながら、コナンはパシュッと腕時計型麻酔銃を小五郎に撃ち込んだ。針は小五郎の首の後ろ側に当たり、小五郎は一瞬で眠り込み、そのまま背後にあったベッドの上へ、ちょうど両手を挙げてバンザイするような姿勢で倒れ込んだ。

『なぜなら犯人は…我々の目の前で…諸手を挙げて喜んでいるんですから…。警部殿がへツポコで助かったーってね…』

小五郎が倒れた姿勢に合わせて、コナンがアドリブで言うと、目暮警部は、

「なにぃ!?」

と、怒って小五郎に詰め寄った。

「ちょっとお父さん、失礼よ！」

「シャンとしてよ、おじさん！」

蘭とコナンが口々に言い、コナンは小五郎の身体を引っ張って、ベッドに寄りかかるような形で床の上に座らせた。これで、はた目には、小五郎は眠っているのではなく座っているだけのように見えるはずだ。

「そこまで言うんならわかっているんだろうな…板倉さんを毛布にくるみ、イスに座らせたままガムテープで縛りつけ、あの机の足に固定したまま放置し、長時間、心臓病の薬を飲めなくさせて殺害した犯人が誰なのかが!!」

目暮警部が怒りにまかせて詰め寄る。

コナンは小五郎の声で、冷静に『ええ…』とうなずいた。

『亡くなった板倉さんに教えてもらいましたから…』

目暮警部は、シラけた表情を浮かべた。

「はぁ？　おいおい、まさか死んだ人間の声が聞こえたなんていうんじゃ…」

『足首ですよ…。警部殿も見たでしょ？　板倉さんの右足首だけ、靴下の跡がついていないのを…。あれは板倉さんが亡くなった後で、再びこの部屋にやって来た犯人が、死体の靴下が片方だけ脱げているのを不自然に思い履かせ直したため…。では、なぜ板倉さんは素足にならなければならなかったのか…』

コナンがそこで一度言葉を切ると、目暮警部はぐっと緊張して、

「そ、それは？」

と続きをうながした。

『そうしないと、ある物をつかんだり、並び変えたりできなかったから…』

「つかむって何を…？」

目暮警部は不思議そうに、部屋の中を見まわした。高木刑事も辺りをきょろきょろと見て、机の前に置いてあった碁盤に目を留める。碁盤の上には、ゲームに使う黒い碁石と白い碁石が並べられていた。

「ま、まさか…碁石!?」

『そうだ…。板倉さんは薬が切れるまでの時間を使って、右足の指で碁石をつかみ、並び変えて我々に遺したんだよ…このダイイングメッセージをね!!』

「こ、これが…」

高木刑事はかがみ込んで、碁盤の上の碁石をのぞき込んだ。目暮警部が不可解そうに言う。

「だが、いったい何と書いてあるんだね？　囲碁の対戦の途中にしか見えんが…」

『では警部殿に手伝っていただいて、わかりやすく説明しましょう…』

そう言うと、コナンは『高木刑事！』と呼びかけて、指示を出した。

『例の日記のディスクと、板倉さんのバッグに入っている未開封のディスクを、警部殿に渡してください！』

「あ、はい…」

高木は、指定された二枚のフロッピーディスクを目暮警部に渡した。

『受け取ったら、警部殿はノートＰＣが置いてある机についてください！』

「これとダイイングメッセージと、何の関係が…」

ボヤきながらも、目暮警部は小五郎に言われるがまま、板倉が死んでいたイスに座った。

コナンが続けて指示を出す。

『説明は後で…。ではまずＰＣを立ち上げてください！』

「立ち上げる？」

目暮警部は、眉間にしわを寄せて戸惑いながら、ノートＰＣを両手に持った。そのまま、ガタッと立ち上がる。

「た、立ち…上げる…こうかね？」

どうやら目暮警部は、「ＰＣを立ち上げる」という言葉の意味がわからないらしい。

「あ、警部…立ち上げるとは、ＰＣの電源を入れる事ですよ！」

高木刑事が横から手を出して電源ボタンを押した。ヴォン……と音を立てて、ノートＰＣが起動する。

「じょ、冗談だよ冗談！」

部下の高木刑事に教えられたのが恥ずかしかったのか、目暮警部はばつが悪そうに笑ってごまかした。

『次は日記のデータを開いて、デスクトップに移して、それを空きディスクに入れてください！』

コナンが立て続けに指示を出す。

またも難しいことを言われて、目暮警部は再び混乱してしまった。

「開いて…移して…入れる？」

不思議そうにつぶやいて、ノートＰＣを見つめる。

「あ、ですから日記のデータを空きディスクにコピーすればいいんですよ！　こーやって…」

高木刑事が横からマウスを操作して、日記のデータを空きディスクにコピーした。

「まさか君は、ワシのＰＣオンチをバカにするために…」

目暮警部が、うんざりして小五郎の方をにらみつける。

しかしコナンは目暮警部の恨み節を無視して、更なる指示を出した。

『では最後に、ＰＣの電源を切ってください！』

「フン！　それぐらいワシでも…」

目暮警部は、先ほど高木刑事がＰＣを起動したときのボタンを押した。しかし、ＰＣの画面は変わらない。

「ん？」

不思議そうに、カチカチと連打するが、PCの電源はついたままだ。

「あ、それは…」

高木刑事が横から助け船を出そうとしたが、コナンはすかさず、

『助言はダメですよ、高木刑事…』

と、くぎを刺した。

目暮警部が、「ハハ…」と乾いた笑いを浮かべる。

「電化製品っていうのはな…コンセントから引っこ抜けば、止まるようになっておるんだよ!!」

ヤケクソ気味に言って、目暮警部は勢いよくコンセントを引っこ抜いた。高木刑事がすぐさま「あーっ!!」と大声をあげる。

「え?」

「ダメですよ!! コンセントをいきなり抜いたら、コンピュータ内のデータが消えたり、故障の原因になったりするんですから!!」

高木刑事に怒られ、目暮警部は気まずそうに反論した。

「だが、さっき電源のボタンを押しても切れなかったじゃないか…」

「安全のために、正しく手順を踏まないと電源は切れないようになっているんです!!」

高木刑事が苦笑いで説明する。

『そう…それはＰＣを使う人間がやってはならない禁じ手…。そして「立ち上げる」や「開く」などの言葉は、ＰＣを使っていないと理解できない言葉…。もうおわかりですね？その碁石で何が書いてあるかが…』

コナンに言われ、目暮警部と高木刑事は顔を見合わせてしまった。

「わかるかね？」

「いえ…」

すると、須貝が碁盤をのぞきこんで、「あら」と口を挟んだ。

「その碁石、何か変じゃない？」

「え？」

目暮警部が驚いて顔を向ける。

須貝は、碁盤の右上の方を指さした。交点に、白い碁石が置いてある。その碁石は、上下左右を四つの黒い碁石に囲まれていた。

「だってホラ…囲碁は相手の石を囲んだら取らなきゃいけないし…囲まれた中に石を置く

のは禁じ手になってるから置いちゃいけないのよ！」

「き、禁じ手!?」

目暮警部は驚いて、声を裏返した。須貝の指さした白い碁石は、相手の石に囲まれているので、「禁じ手」ということになる。

「やはり何か意味があるんですよ、この碁石…」

高木刑事が言い、目暮警部は腕組みして碁盤をのぞき込んだ。

「しかし、いったい何が…」

（お——し…）

コナンは、目暮警部たちの目を盗み、そっと板倉のＰＣの方に近づいた。

（みんなが碁石に注目してるスキに…日記をコピーしたこのディスクを…）

ディスクドライブの中のフロッピーディスクには、先ほど目暮警部にコピーさせた日記のデータが入っているはずだ。

ドックン、ドックン……

緊張しながら、コナンはフロッピーディスクをディスクドライブから取り出した。その直後、

「何してるの、コナン君？」

蘭に見つかって、背後から声をかけられてしまう。

コナンはギクッと身体をこわばらせ、フロッピーディスクを慌てて背中に隠した。

「あ、今、何か隠さなかった？」

「か、隠してないよ…」

「じゃあ何やってるのよ？」

ずいっと詰め寄られ、コナンは苦し紛れに言い訳した。

「あ、あの碁石と何か似てるなーって思ってさ…。このＰＣのボタンに貼ってある、変なシールの模様がね！」

そう言って、板倉のＰＣのキーボードを指さす。見ると確かに、キーボードのキー一つ一つに、ふくらんだ黒い点の並んだ奇妙なシールが貼られていた。

「模様って、これ、点字じゃない？」

蘭が言うのを聞き、内藤が「え？」と反応した。

「そういえば、板倉さんも、私と同じく視力がかなり低下していて…今、点字を覚えていると言ってました…」

内藤は、エレベーターの中でボタンを押すのに、点字を頼りにしていた。内藤の視力がそれほどまでに悪いことは、当然板倉も知っていただろう。

「点字…」

高木刑事は小さくつぶやくと、すぐに「そうか！」とピンと来て続けた。

「知っている人しか理解できない言葉…まさかこれ、点字なんじゃ…」

「そうなんですか？」

目暮警部に聞かれ、内藤は碁盤をのぞき込んで首を傾げた。

「い、いや…点字にこんな形は…。あ、でも、白い石を無視すれば読めそうです…」

そう言うと、黒い碁石だけを拾って、点字を読んでいく。

「は、ん、に、ん、わ、そー、ま…、しょー、こ、わ、と、け、い…」

犯人は相馬、証拠は時計——

名指しされ、相馬の顔はみるみる青ざめていった。

「そ、相馬さん…」

「ウソ…あなた犯人なの？」

内藤と須貝が声を震わせる。

「お、おいおい何でそうなるんだよ？　もしかしたら誰かがオレに罪を着せるために…」

『いや、犯人はあなただ!!』

コナンは、相馬の言い訳を早口に遮った。

『なぜなら、あなたは囲碁も点字も知らないからだ!!　したがって、犯人は決定的な証拠を今も身に付けている相馬さん以外に考えられま…』

「ちょ、ちょっと待て、毛利君…」

見かねた目暮警部が、小五郎に待ったをかけた。

「そんな早口ではなく、いつものように順序立てて説明してくれんか、犯人である根拠やその証拠を…」

どうやらコナンは、事件を早く終わらせようと焦るあまり、説明を急いでしまっていたようだ。

(焦るな、落ち着け…)

コナンは、ふぅ……と深呼吸をした。

(日記のコピーはもうオレの手中にある…。落ち着いて…落ち着いて…)

自分に言い聞かせながら、説明を再開する。

『そう…板倉さんは、このダイイングメッセージを遺す時に考えたんです…。自分が死んだ頃、この身を拘束しているガムテープを解くために、犯人は必ずこの部屋に戻って来ると…。だから、相馬さんが読む事も不審に思う事もないこの暗号にしたんですよ…。ダイイングメッセージだと気づかれたら隠蔽されてしまいますからね…』

相馬は目を見張り、板倉の遺した碁盤に視線を落とした。確かに、囲碁も点字もわからない相馬が、この暗号に気付くことは不可能だ。

『それに、死体が見つかれば、自分に仕事を依頼したあなた方三人が警察に事情聴取され、この碁盤の写真を見せられるのは確実！　その時、自分と同じくエレベーターの点字をなぞるほど目が悪い内藤さんなら、暗号の点字を読んでくれるかもしれないし、自分に囲碁ソフトを依頼した須貝さんなら禁じ手を不自然に思い、これが暗号だと気づいてくれさえすれば、いずれ誰かが解いてくれるというわけですよ！』

「な、なるほど…」

高木刑事が感心してつぶやく。

「じゃあ、証拠の時計というのは…」

目暮警部は、相馬のつけている腕時計にちらりと視線をやった。

『相馬さんが今もつけている腕時計ですよ…。板倉さんが姿をくらまし、この部屋にこもったのは一週間前…。そして板倉さんは時計にうるさく、目が悪い…。あなたが最初にこの部屋に来た時に、板倉さんは当然手に取って見たはずだ…。あなたが五日前に買ったという、その自慢の腕時計をね！』

相馬は、身体をこわばらせ、目を見張った。その表情は、コナンの推理が真実であることを物語っているかのようだ。

「そうか！　その時計に板倉さんの指紋がついていれば、証拠になりますね！」

高木が声を弾ませ、目暮警部は、腕時計をした相馬の手首をつかみながら「ああ…」とうなずいた。

「一週間振りに死体となって再会したはずの板倉さんが、五日前に買ったあなたの腕時計に触れるわけがないからな…。ではこの時計は鑑識で…」

「ああ…調べてくれよ…。多分、色んな所に指紋がつきまくってるだろーから…オレは、板倉がこの時計に夢中になっているスキに…ワインに睡眠薬を入れて眠らせて、毛布にくるんだんだからよ…」

相馬は観念して犯行を認めると、うつむいて、悲しげに動機を語り始めた。

「20年前…。奴が無名のゲームクリエイターで、オレがゲーム会社に入りたての若僧だった頃…オレ達二人は、奨励会に通う将棋仲間だったんだ…。酒を飲みながらよく話したよ…。ビッグになったら、名人を倒せるような将棋ソフトを作ろうってな！　だが三日前、やっと居場所を見つけ、部屋へやって来たオレに奴はこう言ったんだ…。『待ったは何回がいいと思う？』ってよ…」

力なく笑うと、相馬は肩をすくめて続けた。

「笑っちまうだろ？　名勝負の棋譜を集めて20年間奴に送り続け、『機は熟した』って奴の言葉に乗せられて、多額の借金までして奴に投資し、出来上がるはずの名人級の本格将棋ソフトに…『待った』だからな…。そしてオレは、景気づけのワインを買って来るって言って部屋を出て、ワインと一緒にガムテープと睡眠薬を買って戻って来たってわけだよ…」

相馬は、須貝と内藤の方を見た。最初に探偵に板倉を捜してもらうと提案したのは須貝、毛利小五郎を指名したのは内藤だ。

「毛利小五郎に奴を捜させようというあんたらの案を断らなかったのは、後で疑われるのを少しでも避けるためだ…。将棋ソフトの開発になかなか取り掛からず、CGで有名になってTVに出ている板倉を会社で何度も罵っていたからな…」

相馬の会社の同僚たちはみな、相馬が板倉に恨みを抱いていたことを知っているということだ。このことが後から警察にバレたら、疑われる理由になるだろう。その上、毛利小五郎に相談しようとする須貝と内藤に反対していたら、ますます怪しまれるはずだ。そうならないよう、相馬はやむを得ず、二人の提案に同意したのだった。

相馬は険しかった表情をふとゆるめると、ぼんやりと天井を見上げた。

「だが20年は、奴もオレも長考しすぎだ…。離れていると、人の心も夢も変わっちまう…。人生に『待った』があるんなら、20年前に戻りたいよ…。奴と同じ夢を見ていたあの頃に…」


相馬は逮捕され、事件は無事に解決した。

コナンと蘭は、小五郎より一足先に自宅に帰ることになった。

「じゃあな蘭君…」

ホテルのエントランスに立った目暮警部が、去って行く蘭に声をかける。

「この寝ぼけたお父さんにはまだ用があるから、帰りはタクシーでも拾って…」

「いえ、歩いて30分ぐらいですから…」

蘭が礼儀正しく答え、その横でコナンは、

「バイバーイ、警部さん!」

と無邪気に手を振った。小五郎は、またも眠っている間に事件が解決してしまったので、何もわからないまま「ふぁ」とのんきにあくびをしている。

いつの間にか外は暗くなり、雪が降り始めていた。

蘭に手を引かれ、雪の降る歩道を歩きながら、コナンはポケットの中のフロッピーディスクに触れた。

(ある…ちゃんとあるぞ…オレのポケットの中に…あの黒ずくめの男達の手掛かりが!!

あとは博士ん家のパソコンで…このディスクを隅から隅まで…)

いよいよ黒ずくめの組織につながる手掛かりをつかんだのだと思うと、胸の鼓動が速まっていく。

と、その時、隣で蘭が、降って来る雪を見上げながら言った。

「ねぇコナン君…? 人って変わっちゃうのかな…」

「え？」

コナンは驚いて、視線を向けた。

「離れていると、人の心って…」

蘭がぼんやりとした表情でつぶやく。

離れていると、人の心は変わってしまう——相馬が言うのを聞いて、蘭はきっと、新一のことを思い出してしまったのだろう。

黒ずくめの連中に薬を飲まされる前、新一と蘭は学校などで毎日のように顔を合わせていた。それなのに、新一は突然、蘭の前からいなくなってしまったのだ。蘭が不安になるのは当然だった。

「けっこーつらいんだよ…。待ってるだけってさ…」

「大丈夫だよ、新一兄ちゃんなら！　蘭姉ちゃんが思ってるままだと思うよ!!　だからぜーんぜん心配しなくても…」

言いかけて、コナンは言葉を切った。

蘭が、うっすらと涙を浮かべていることに気が付いたのだ。

「コナン君が新一なら…よかったのにね…」

しぼり出すように言うと、蘭は慌てて涙をぬぐった。

「バカね、わたし…何言ってんだろ…」

(蘭…違うんだ…)

コナンは、やりきれず、心の中で呼びかけた。

(オレ……本当はオレ…)

本当は、自分が新一なのだと、今すぐここで蘭に打ち明けたい衝動に駆られる。しかし、すぐに思いとどまった。

(ダメだ!! 言っちゃならねぇ…。奴らの正体を暴くまでは…奴らをぶっ潰すまでは…。オレの事は絶対に…)

悔しさをこらえ、蘭と手をつないだまま雪道を歩いていく。

と、その時、前方の電話ボックスから、誰かがタバコをくわえながら出てきた。

黒いニット帽をかぶった、長身の男——以前、コナンがバスジャック事件で遭遇した、赤井秀一だ。

(お、おまえは…)

コナンは目を見張り、その場に足を止めた。

黒ずくめの組織との接触

DETECTIVE CONAN

BLACK ORGANIZATION SELECTION

赤井は、くっきりとした隈の浮いた目を蘭に向けると、

「また泣いているのか…」

と、低い声でつぶやいた。

「え？」

蘭の表情がきょとんとなる。

コナンは、赤井から蘭を守るようにして立ちはだかりながら、（また？）と聞きとがめて首を傾げた。

赤井は、感情の読めない視線を蘭に向けて続けた。

「おまえはいつも泣いているな…」

（いつも？）

どういうことだろう。蘭は以前、この男に会ったことがあるのだろうか？　コナンの疑問をよそに、蘭は涙をぬぐいながら、

「いけませんか？」

と、赤井に聞いた。

（え？　え？）

コナンは訳がわからず、赤井と蘭の顔を交互に見比べた。

「いや…思い出していたんだ…おまえによく似た女を…」

そう言いながら、赤井はゆっくりと、蘭たちの方へ歩を進めた。

「平静を装って陰で泣いていた…バカな女の事をな…」

蘭の横を通り過ぎ、コツコツと静かな足音を立てながら、去って行ってしまう。蘭は、赤井の後ろ姿を見送りながら、

（バ、バカな女!?）

と、顔をしかめた。

「ね、ねえ、蘭姉ちゃん!!　今の男の人知ってるの？」

コナンは慌てて聞いた。

「ええ…新一とNYに行った時に会った人よ…」

（え？）

驚きつつ、コナンは蘭の話の先を待った。

「廃ビルの前で新一を待ってたら、さっきの人がやって来たのよ…。『長髪を銀色に染め

たヒゲ面の日本人を見なかったか？』って…」

(通り魔が潜んでいたあのビルか!!)

新一は以前、蘭とNYに行った時に、通り魔に遭遇したことがあるのだ。赤井が捜していた日本人とは、その通り魔のことだろう。

「でも、怪しい人じゃないと思うよ…。背中にFBIの文字が入ったジャケット着た人と一緒にいたし…」

(FBI？　バカな!?)

コナンは目を見開いた。FBIとは、連邦捜査局の略称で、アメリカ合衆国の警察機関のこと。主に国内の治安維持を手掛ける組織だ。

(FBIがこの日本で…いったい何を…!?)

コナンは、赤井が去って行った方へと視線を向けた。しかし、そこにはすでに、赤井の姿はない。

(い、いない…消えちまった…)

驚くコナンの手を、蘭はきゅっと引いた。

「ホラ帰ろ、コナン君！」

「あ、うん…」

蘭に連れられて歩き出しながら、コナンはもう一度、赤井が去って行った方角を確認した。

ＦＢＩのジャケットを着た人間と一緒にいたのなら、赤井もＦＢＩの関係者である可能性が高い。が——

(でもあいつ、本当にＦＢＩなのか？　あの通り魔は自殺にみせかけて誰かが殺したんだ…ＦＢＩがあの廃ビルの近辺を固めていたのなら、そんなヘマするわけがねえ……。それに、ジェイムズさんが誘拐された事件で、灰原は奴の気配に反応した…)

灰原は、黒ずくめの組織に所属していたことがある人間だけがまとう、独特の気配のようなものを感じ取ることが出来る。そして、以前ジェイムズ・ブラックという男が誘拐された事件に関わった時、灰原はその気配を赤井秀一から感じていたのだ。

(通り魔を殺したのが奴だったとしたら…奴が灰原と深くかかわっていた人物だとしたら…赤井秀一…まさか奴の正体は…)

赤井のことは気になったが、今はそれ以上に、板倉の日記の内容を確認することの方が大切だ。

コナンは、毛利探偵事務所に帰って来るなり、すぐに阿笠博士の家へと向かった。

一方蘭は、コナンが出かけたとは知らず、夕食の支度のためにエプロンのひもを結びながら、

「ねぇコナン君？　夕飯、何が食べたい？」

と、リビングをのぞき込んで声をかけた。

「お刺身？　天津飯？　ビーフシチュー？　でもどれか一つにしてよね…」

しかし返事はなく、リビングには誰もいない。テーブルの上に、コナンの書き置きが残されている。

「メモ…？」

ハカセとゲームするやくそくしたから
きょうはハカセんちにとまるね
　　　コナン

書き置きに目を通し、蘭は「もォー」と眉をひそめた。

「またゲーム？　まーったく子供なんだから!!」

その頃コナンは、フロッピーディスクを手に、はやる気持ちを抑えて阿笠博士の家へと向かっていた。

(でも今は赤井秀一より、日記が入ったこのディスク！　二年前、黒ずくめの組織の一員テキーラと接触した板倉さんのこの日記だ!!)

脳裏にジンとウォッカの顔が浮かび、フロッピーディスクを握る手に、ぐっと力が入った。

(こいつを隅から隅までチェックして、つかんでやるぜ!!　奴らの目的を…奴らの正体をな!!)


コナンが、阿笠博士と灰原哀が暮らす家に到着すると、阿笠博士は何か作業をしていたところらしく、白衣を羽織ったまま出て来た。

「おお、新一君！　ちょうど良かった!!　久々のワシの新発明、出来ておるぞ!!　ついでにホレ、予備の追跡眼鏡も作っておいたから、これでもう電池切れで困る事は…」

そう言って、コナンに、新しい追跡眼鏡を見せる。

コナンは、肩に積もった雪をはらいながら、「灰原は？」と聞いた。

「哀君なら風呂じゃが…」

「そりゃー、都合がいいぜ…」

板倉の日記の件については、灰原には知られたくない。

コナンは、地下にある博士の研究室に向かいながら、日記について説明した。

「なに？　奴らの手掛かりを手に入れたじゃと!?　本当か、新一君？」

「ああ…灰原に知られると余計な心配しかねないから、あいつがいないスキに…」

コナンは博士のＰＣにフロッピーディスクを差し込むと、中に保存されている文書ファイルを開いた。

「えーっと、二年前…二年前…。あった、これだ!!」

テキーラが、板倉のもとを訪れた日の日記だ。コナンはさっそく読み上げた。

「３月７日…関西弁の大男が突然訪ねて来た。どうやら、開発中のシステムソフトが目当てだったらしいが、私が目を悪くして開発を断念したと知ると、あっさり帰って行った…。上から下まで真っ黒な男…。二度と会いたくはない…」

日記はそこで終わっている。

「おいおい、これだけかよ？」

コナンは慌てて、ファイルを下までスクロールした。しかし、ここ以外に、テキーラに関する描写はない。

「その後の日記にも大男に関する事は書かれていないようじゃのォ…」

「――ったく、必死こいて手に入れた日記だっていうのに…わかったのは板倉さんが何かのソフトを開発していて、それを奴らが欲しがっていた事だけとはな…」

コナンはガッカリしてしまった。

「しかしその板倉って人は、相当いい加減な性格だったようじゃな…」

そう言うと、阿笠博士は12月19日の日記を指さした。

12月19日
5年も会っていない友人が

私の別荘から電話をかけて来た。

どうやら女と一泊するらしい。

いい気なもんだ…


どういうことのない内容の日記だが、その次の、12月20日の日記との間に、何行もの空白がある。前後の日記同士の間隔は一行ずつしか空いていないのに、ここだけ不ぞろいだ。

「ホレ、日記と日記の間隔がまちまちじゃ！　ワシなら統一せんと気になって仕方ないんじゃが…」

「……」

コナンはしばらく考えて、おもむろにマウスを手に取った。

「いや…これはいい加減に間を空けてんじゃねぇ…。空いたスペースにカーソルを合わせて…ドラッグして反転させると…」

コナンがマウスを操作すると、不自然に空いた日記の間隔に、隠された文字が表示された。

疲れた…

このままではいつか私は

殺されてしまうかも…

「!?」

阿笠博士は驚きに目を見張った。

「も、文字が白抜きで…」

「『あぶり出し』だよ！　インターネットのホームページで、伏せたい文章を書く時によく使われてんだ…ボードの色と同じ色で文字を書くと、見えなくなるのを利用してな！」

コナンが説明すると、阿笠博士は不可解そうにモニターを見つめた。

「じゃが、どうして板倉さんはこんな事を…」

「たぶんこの日記を誰かに盗み見された時に、読まれないように擬装したんだよ」

そう言って、コナンはほかにも隠された日記がないか、テキストファイル全体を反転して確認した。

「あぶり出しは、大男が来た日の10日後から使われてるみてーだ…。続けて読むと…」
コナンは順番に、あぶり出しで隠されていた日記を読み上げた。

3月26日
また机の上のペンが5㎝移動している。
やはり誰かが事務所に忍び込んでいるようだ。

4月15日
今度は自宅に誰かが…。警察は取り合ってくれない…
侵入した痕跡も取られた物もないので仕方はないが…

6月11日
鍵を取り替え、隠しカメラを設置したが無駄だったようだ…

7月6日

誰なんだ⁉　姿を現せ‼

12月19日
疲れた…。このままではいつか私は殺されてしまうかも…

1月6日
この恐怖から逃れるために机の中に侵入者に向けてのメッセージを入れた。
「要求を飲む」と…

1月8日
意外にもすぐに返事が来た。
私が入れたメッセージの代わりに、侵入者のメモが入っていたのだ。
赤く書かれた「OK」の文字と共に怪しげな電話番号が。
赤い文字は恐らく血で書かれた物…。他言すると命はないという意味だろうか…。

1月23日
しばらく迷ったが、警察に通報せずに電話する事にした…

電話に出たのはなんと女だった。女王のようなしゃべり方をする高飛車な女…

女の要求は、私が例の開発中のシステムソフトを一年で完成させたら高額で買い取りたいという事だった…

どうやら前に来た大男の仲間のようだ…

2月13日
彼らとの連絡方法は電子メールに変わった。
私は報酬を前金で口座に振り込む事と、これ以上私の周りをうろつかない事を条件に引き受ける事にした…

12月22日
ダメだ…やはり私にはできない…
なぜならあのソフトは、私が目を患ったからだけではなく、我々人間のために断念したのだから…

「に、人間のためじゃと？」

阿笠博士は驚いて、日記の文字を読み直した。人間のために断念したとは、いったいどのようなソフトだったのだろう。

コナンは緊張した面持ちで、続きを読み上げた。

2月9日

いよいよ期日が迫って来た…

私は、未完成のソフトに彼らからの報酬分の小切手を添えて別荘のPCのそばに隠し、海外に姿をくらます事にする…

彼らからソフト受け渡しの時間と場所を指定するメールが届くのは5日後の午前0時。

それまでに何とか海外に…。

(この日記の日付が4日前って事は、メールが届くのは今から3時間後の午前0時…。どうやら板倉さんはそのメールを見る前に外国へ逃げる気だったみてーだな…）

これで、板倉の行動にも全て説明がつく。

（だからゲームの仕事をできるだけ引き受けて逃亡資金を稼ぎ、仕事をしている振りをして高飛びする準備を整えていたってわけか…）

やはり板倉は、黒ずくめの組織とかなり深く関わっていたようだ。コナンはうっすらと唇の端を上げた。

「ん？　最後の日記の後にもあぶり出しがあるようじゃぞ！」

阿笠博士に言われ、コナンは最後の日記の後の行を反転させた。

2月10日
しかし彼らはあのソフトで一体なにをしようとしているんだ？

最初に電話に出たあの女の奇妙な言葉が耳から離れない…

そう…あまりにも高圧的な女の口調に堪えかねて「何様のつもりだ」となじったら、女は笑いながら英語でこう返した…

We can be both of God and the devil. Since we're trying to raise the dead against the stream of time.

「な、何じゃと!?」

阿笠博士が、驚きに目を見開く。

コナンは、英語を日本語に訳しながら読み上げた。

「…我々は神であり、悪魔でもある…なぜなら…」

「時の流れに逆らって…死者を蘇らそうとしているのだから…」

口を挟み、日本語に訳して続きを読み上げたのは、灰原の声だった。

コナンと阿笠博士が、驚いて振り返る。灰原は、お風呂あがりらしく肩からタオルをさげ、濡れた髪のまま立っていた。

「何なのよ、それ？　魔法使いが出て来るファンタジーでも読んでるの？」

「あ、ああ、そうなんじゃ…。ネット連載しておる洋モノの小説にはまっててのォー…」

阿笠博士がたどたどしく説明し、コナンも、

「ハハハ…」

と乾いた笑いを浮かべてごまかした。

「…で？　工藤君は何してるの？」

灰原が、コナンを指さして聞く。

「あ、オレ？　オレはえーっと…」

「ワ、ワシの新発明を試しに来たんじゃよ‼　のォ？」

助け船を出され、コナンは「オ、オウ！」と乗っかった。

阿笠博士が持って来た新しい発明品は、大きなバックルのついたベルトだ。コナンの腰にベルトを装着すると、阿笠博士は得意げに説明した。

「名付けて…どこでもボール射出ベルトじゃ‼　一見ただのベルトに見えるが…」

(見えねーよ…)

コナンが心の中で突っ込む。ベルトのバックルには、ダイヤルやらボタンや、何か射出口までついていて、明らかに不自然だったのだ。

「ダイヤルを合わせてボタンを押すと…」

阿笠博士は、バックルについたダイヤルをまわし、中央のボタンを押した。すると、バックルの射出口から小さなサッカーボールが現れ、シャボン玉のようにプクーッとふくらんだ。

「おーっ!!」

「ほーれ、サッカーボールの出来上がりじゃ!!」

サッカーボールはみるみる大きくなり、本物のサッカーボールと同じくらいの大きさになると、ポンとバックルから外れて床の上をバウンドした。

「スゲー!!　これなら犯人が何人いても捕まえられるな!!」

大喜びするコナンに、阿笠博士は「いや、一人か二人じゃ…」と水を差した。

「このゴムの性質上、ベルトから離れたら10秒しか形を保っておれんのじゃ…」

「あ、そう…」

コナンはシラけてうなずく。

確かに、サッカーボールはテンテンと何度か床をバウンドしたあと、すぐにプシューとしぼんで使い物にならなくなってしまった。

「そのかわり、伸縮自在!　入れるガスの量次第でアドバルーン大にもなるんじゃぞ!!」

阿笠博士が気を取り直して言うと、コナンは半ばヤケクソで、

「おーっ、そりゃーお得だぜー!!」

と、一緒になって盛り上がった。

灰原は、そんな二人のやり取りに冷めた視線を向けると、

「バカバカしい…私、もう寝るから…」

と、自分の部屋に戻って行ってしまう。

灰原がいなくなると、阿笠博士は声を潜めてコナンに聞いた。

「で？　これからどーするんじゃ？」

「決まってんだろ？」

コナンは武者ぶるいをこらえ、強気な笑顔を浮かべた。

「これから板倉さんの別荘に行って、例のシステムソフトを手に入れて、その別荘のＰＣで受け取るんだよ!!　午前０時に送られて来る、奴らからのメールをな！」

コナンは、阿笠博士の運転する車で、さっそく板倉の別荘に向かった。
「しかし、よくわかったのォ。板倉さんの別荘が群馬にあるって…」
ハンドルを握りながら、阿笠博士が言う。
「板倉さん捜しを依頼して来たゲーム会社の人に、一応おっちゃんが聞いたんだよ…。板

倉さんが身を潜めてそうな自宅や別荘や、彼の知り合いの住所をな…」

「しかし大丈夫か？　もしも奴らが待ち伏せでもしておったら…」

不安そうに言う阿笠博士に、コナンは「大丈夫だよ！」と自信をもって答えた。

「板倉さんは、奴らに自分の周りをうろつかないように約束させてたんだ！　机の上のペンが5cm移動してるのを気にするような神経質な人相手に、そんなマネはしねーよ…」

「た、確かに…。ソフト完成前に彼にヘソを曲げられたら、元も子もない無いからのォ…。問題は板倉さんが殺されたニュースが、TVやラジオで流れたかどうかじゃな…」

「それも今の所大丈夫！　今日は逃走中の宝石強盗犯のニュースで持ち切りだから…」

コナンは阿笠博士と話しながら、片耳に差し込んだイヤフォンでラジオのニュースを聞いている。報道の内容は先ほどから宝石強盗犯のことばかりで、今も『依然、三人の行方はつかめておりません…』とアナウンサーが逃げた犯人について報じているところだった。

「まあ明日には、板倉さんのニュースも流れちまうだろーけど…。それより気になるのは日記の最後のあの言葉…」

コナンが表情を引き締めると、阿笠博士も深刻そうに「ああ…」とうなずいて、日記に書かれていた言葉を繰り返した。

「我々は神であり、悪魔でもある…。なぜなら時の流れに逆らって死者を蘇らせようとしているのだから…」

「なあ博士…まさか灰原が作ろうとしていた薬って…」

死者を蘇らせる——その言葉から連想して、コナンは固い声で聞いた。

「ハハ…まさか…。ゾンビじゃあるまいし…」

阿笠博士が、戸惑い気味に否定する。

「……」

コナンは押し黙り、以前、灰原に言われた言葉を思い出した。

——あせっちゃダメ…時の流れに人は逆らえないもの…。それを無理矢理ねじ曲げようとすれば、人は罰を受ける…。

灰原は、組織で、いったいどんな研究をさせられていたのだろう。

(何だ？　何だよ、罰って!?)

コナンは、ギリッと奥歯を嚙みしめた。

車は雪道を走り、ようやく板倉の別荘へと到着した。

「ふう…やっと着いたわい…。さて…どうやって中に入るかじゃが…」

車を降りた阿笠博士が、別荘の玄関の前に立って様子をうかがう。

すると、コナンがいきなり、鍵をガチャッと鍵穴に差し入れた。

「え？　どこでその鍵を⁉」

「その階段の裏に隠してあったぜ…。ホラ、日記に書いてあっただろ？『五年も会ってない友人が、私の別荘から電話して来た』って…。――って事は、知り合いならいつでも入れるように、別荘の周りに鍵が隠してあるって事だよ…」

コナンは説明しながら、扉を押し開けて別荘の中へと入った。

「な、なるほど……。しかし無用心じゃのォ…」

つぶやきながら、阿笠博士も後に続く。

家の中は真っ暗で、人の気配は全くなかった。

「無用心だからこそ、ここに置いたんだよ！　奴らが欲しがっていたこのソフトが、こんな所に無造作に置いてあるとは奴らも思わねぇからな…」

コナンは腕時計型ライトで部屋の中を照らし、ＰＣの前に置かれていた封筒とＣＤ―

ROMを見つけた。中身は恐らく、板倉が組織に渡すために用意していた未完成のソフトと小切手だろう。

「そして、これから送られて来る奴らからのメールを受け取らなければ、奴らはいずれ、板倉さんを捜しにここへやって来て、ソフトと小切手を見つけてくれるだろうから、板倉さんは奴らに会わずに縁が切れるってわけさ…」

言いながら、コナンはPCの電源を入れた。

「し、新一君…。そろそろ時間じゃぞ…」

阿笠博士が、腕時計を見てつぶやく。もうすぐ、このPCに、黒ずくめの組織から連絡が来るはずだ。

「ああ…」

コナンはメールソフトを起動して、連絡が来るのを待ち構えた。

(さあ来い、黒ずくめの男達!! その汚ぇシッポを見せやがれ!!!)

ピコン……

メールソフトが、一通の新着メールを受信する。

(来た!! メールだ!! おーし、こいつを開けば…)

コナンは新着メールをクリックして、（え？）と固まった。

“PASSWORD?”と書かれたダイアログが表示されてしまったのだ。その下には、カウントダウンの数字が表示されていて、10、9……と順番に減っていっている。

（パスワード？）

「お、おい…カウントがどんどん減って…」

阿笠博士が驚いて身を乗り出す。黒ずくめの組織からのメールには、パスワードがかけられていたのだ。カウントダウンの数字は、あっという間にゼロになり――

「ああっ!?」

せっかく届いた新着メールは、パッと消えてしまった。

「メ、メールが消えた…。くそっ！　すぐに開けねーと消えちまう設定になってたんだ…」

コナンは念のため、もう一度受信トレイを確認した。しかし、やはり新着メールはない。

「じゃあまさか、メールを開けなかった事が奴らにわかったんじゃ…」

阿笠博士がおののいて言う。

「ああ…。それどころか、このＰＣで開き損ねた事に気づかれたかも…」

「どーするんじゃ？　板倉さんに何かあったと思って奴らがここに来るかもしれんぞ!!」

このままここにいたら、組織の連中と鉢合わせてしまうかもしれない。阿笠博士はうろたえたが、コナンは「……」と無反応だ。

「し、新一君？　新一君!?」

阿笠博士は焦って何度も呼びかけた。

と、その時――

トゥルルル！　トゥルルル！

別荘の電話が鳴り響いた。

(な!?)

コナンは、焦ってぎくりと身体をこわばらせる。

電話はすぐに、留守番電話に切り替わった。

『只今電話に出る事が出来ません…。ご用のある方は発信音の後にメッセージをお入れください…』

自動応答のメッセージのあと、ピーっという発信音が鳴る。

続けて、聞き覚えのある男の声が、電話機のスピーカーを通して流れてきた。

『よォ、どーした？　そこにいるんだろ？』

この声は――

（ウォッカ!!!）

「バ、バレたんじゃ…。この別荘のＰＣでメールを開き損ねた事が、奴らにバレたんじゃよ!!」

阿笠博士が、声を震わせる。

「ああ…」

うなずいて、コナンは窓の外に視線を向けた。

外は吹雪だ。ヒュウウウ、と風が吹き荒れて、窓ガラスを揺らしている。

「もしくは…板倉さんに気づかれないように…奴らがこの別荘を…遠くでずーっと見張っていたか…」

「な、なんじゃと!?」

阿笠博士はいよいよ声を裏返した。この別荘が見張られていたとすれば、コナン達が部屋の中にいることもバレているのかもしれない。

「こんな無用心な別荘で板倉さんがメールを受け取るなんて、奴らも予想しねぇと踏んでたんだがな…」

「おいおい、そうだとしたら、逃げるに逃げられんぞ!!」

コナンはじっと、電話機の方を見つめた。

『おい、返事をしろ!!』

ウォッカが、電話の向こうで苛立ちをにじませて怒鳴る。

『その別荘にいるのはわかってんだよ！　さっさと返事をしねぇか!!　板倉さんよォ!!』

「こ、こうなったら…危険じゃが、吹雪に紛れて裏口からこっそり抜け出すしか、方法は…」

阿笠博士が裏口につながる扉を見ながら言う。

その直後――

（え？）

コナンが、ガチャッと受話器を取り上げたのを見て、阿笠博士は目をむいた。

『ああ、すまない…暗くて電話が取りづらくてね…』

コナンは、蝶ネクタイ型変声機で板倉の声を出し、ウォッカからの電話に応答した。

（おいおいおい!?）

阿笠博士が目を白黒させる。

『どうやらこの雪で、電気の配線が切れてしまったようだ…。おかげでメールを開け損ねてしまったよ…』

コナンが適当に話をでっちあげて説明すると、ウォッカは『フン…』と鼻を鳴らした。

『山奥の別荘なんかでメールを受け取るからだよ…』

『しかしよくわかったな…。私がここにいると…』

コナンはウォッカと会話をしながら、近くにあったペンを使ってノートにメモを取った。

「？」

阿笠博士が、不思議そうにコナンの手元をのぞき込む。

『ハハハ…俺達は、あんたの事なんざ全てお見通しなんだよ…』

ウォッカが楽しげに言う。

コナンは、腕時計型ライトでメモの文字を照らし、阿笠博士に見せた。そこには「明かりをつけてくれ！」と書かれている。

阿笠博士は、暗い部屋の壁をぺたぺたと手で触って、電灯のスイッチを探した。

コナンはウォッカとの会話を続ける。

『まさかこの別荘を見張ってたんじゃないだろうね？』

『ビビるなよ、それはねぇから…。そんな事より、完成したんだろーな？ 例のシステムソフト…』

『ああ、なんとかね…』

阿笠博士が、ようやく電灯のスイッチを探し当てた。

カチッとスイッチを押すと、パッと明かりがつく。

その途端、ウォッカが『ん？』とつぶやいて、続けざまに怒鳴った。

『誰かそばにいるのか!? おい答えろ！ 何だ、今の音は？』

（音？）

コナンは動揺しつつも、窓の外に目をやって言った。

『か、風だ…風が窓をたたく音だよ…』

『ああ…そ～いや、そっちも大雪だったな…』

ウォッカが納得する。どうやらウォッカには、電灯のスイッチが押された時の音が聞こえていただけのようだ。部屋の明かりがついたことがバレていないということは、この別荘が見張られているわけではないのだろう。

『まあ、そういうわけでＰＣが使えないんだ…。すまないが直接教えてくれないか…。このソフトの受け渡しの時間と場所を…』

　コナンが言うと、ウォッカは再び『フン…』と鼻を鳴らした。

『しゃーねーな…一度しか言わねぇからよーく聞け……。工事中の「賢橋」って駅、知ってるよな？　今度、東都地下鉄に加わる洒落た駅だ…。明朝午前0時…そこの一番地下にあるコインロッカーの０３２番の前に来い…。そのシステムソフトを持って来るのを忘れるんじゃねーぜ…』

　コナンは「………」と少し考えてから答えた。

『ダメだ…。明日は都合が悪い……』

『なに!?』

『今日の夕方から検査入院するんだ…。知っているだろ？　私の心臓が悪いのを…』

　ウォッカは、声をさらに低くして『まさかてめぇ…』と凄んだ。

『まだソフトが完成してねえから、時間を引き延ばしているんじゃねえだろうな？』

『そ、そんな事はない…。ちゃんと完成しているさ…』

『じゃあ、いつならいいんだ？』

『退院してから3、4日後…いや、5日はみてくれないと…』

コナンが頼むが、ウォッカは応じない。

『バーカ…そんなに待てるか！　入院を先に延ばせ！』

『有名な心臓外科医の予約がやっと取れたんだ、日はずらせないよ…。入院までに渡すなら今日しかないが、夜が明けたら工事の人が駅にやって来る…。そ、そうなれば君達には都合が悪いんだろ？』

コナンが必死の口調で畳みかけると、ウォッカは笑った声で言った。

『じゃあ4時だ…。今から4時間後の午前4時…。さっき言った場所にソフトを持って来な…』

『よ、4時間後？　この群馬から東京にか!?』

コナンは焦った声を出した。群馬から東京まではかなり遠いし、外は猛吹雪で、今から向かうのはかなり大変だ。しかし、ウォッカの返事はにべもなかった。

『どうした？　完成してんなら持って来れるはずだぜ？』

「…わ、わかった…。4時間後、そこに持って行こう…」

コナンがあっさりと了承したので、横で聞いていた阿笠博士は（え？）と焦った。

『そのかわり、待ち伏せは止めてくれ…。君達の仲間の姿を見かけたら、この取り引きは中止…ご、強引にこのソフトを奪っても…ソフトの使い方は永遠にわからなくなると思ってくれよ…』

『フン…。話に聞いていた通り、用心深い野郎だぜ…。じゃあ4時間後、賢橋駅地下にあるコインロッカーの0032番の前だ、遅れるなよ…』

『あ、ああ…』

ウォッカが電話を切る。

ツー、ツー、という話中音を聞きながら、コナンは余裕の笑みを浮かべた。

(おーし、かかった!!!)

ウォッカとの会話は、全て、コナンの狙い通りに進んだのだ。

「お、おい、どうする気じゃ？　まさか奴らの言いなりになってそのソフトを持って行く気じゃあるまいな？」

阿笠博士が、焦ってコナンに詰め寄る。コナンは落ち着きはらって、

「言いなりにはなってねーよ…」

と説明した。

「会話を誘導して、受け渡し時間を午前4時に早めたんだよ！　焦って怯えるフリをしてな！」

「な、何じゃと⁉」

「夜が明けたら、板倉さんが殺されたニュースが流れちまうかもしれないだろ？　それが奴らに知られたら、この取り引きも奴らの手掛かりもパアだ……。幸いどの局も、そのニュースはまだやってないみてーだし…」

そう言うと、コナンは耳に入れたイヤフォンに触れた。『なお、逃走中の宝石強盗犯は…』と、ニュースの音声が漏れ聞こえてくる。車の中にいるときからずっと、コナンはラジオのニュースを絶えずチェックしていたのだった。

「じゃあ、君は最初から…」

「ああ…。奴らからメールが来たら、受け渡し時間を早めるように返信するつもりだったよ…」

そう言うと、コナンはポケットからハンカチを出し、受話器を拭いて指紋を消しながら続けた。

「さあ！　オレ達がここへ来た痕跡を全て消して、博士のビートルで早く別荘から出ようぜ！」

「で、出るって…。この別荘の周りで、奴らが見張っているかもしれんのじゃろ？　表に停めた車で安易に出て行って、ワシらの姿を見られでもしたら…」

「大丈夫だよ！　ウォッカや、奴の仲間が潜んでいたのなら、『電気の配線が切れたからPCが使えない』なんてウソはすぐにバレる！　声が録音される危険がある電話で受け渡し時間を言ったりはしないし、させねぇよ！」

「な、なるほど…」

阿笠博士は納得してつぶやいた。

「だからこの別荘の明かりをつけたんじゃな？」

「ああ…。少なくとも別荘の明かりが見える場所には、奴も奴らの仲間もいないって事だ！　多分、この場所が奴らにわかったのは、送信したメールが開かれなかった場合、相手のPCを特定して警告するようなシステムを奴らが備えていたってところだろ…」

コナンは、小切手と一緒に残されていたCD－ROMを手に取った。

「まあ、どのみち奴らの一部は捕まるさ…。ビートルに乗せてるノートPCでこのソフトの中身を確認して、もし大犯罪に悪用できるようなとんでもねぇ代物だったとしたら…」

「警察に通報し、受け渡し場所に張り込ませて、のこのこやって来た奴らを取り押さえる事ができるというわけじゃな！」

阿笠博士が、声に希望をにじませる。

二人はさっそく車に乗り込み、東京へと向かった。

東京に向かいながら、コナンは車の中で、持って来たノートPCを起動して板倉のソフトの中身を確認しようとした。

しかし――

「くそっ！　ダメだ！　このソフトにもパスワードが設定されてるぞ!!　あのメール同様、奴らと板倉さんの間でパスワードが決められていたってわけか……」

ここでもソフトを開くことができず、コナンは悔しげに眉を寄せた。

「じゃあ、とりあえずコピーを……」

運転しながら阿笠博士が言うが、コナンは「それもダメだ…」と苦々しげに首を振った。

「しっかりコピーガードが掛けられてるよ…これじゃ警察は動いてくれねぇぞ!!」

「じゃが、奴らは常に拳銃を忍ばせておるのじゃないか…。拳銃の取り引きがそこであると通報すれば警察の二、三人は……」

「奴らが何人で来るのかわかってねぇのに、そんな少人数じゃ返り討ちにされる可能性が高い…。奴らの目的をつかんで、どんなに危険で大きな組織かという証拠を警察に見せて、それ相応の装備をして大勢で張り込んでねぇと確保するのは無理だ……」

コナンが冷静に言うと、阿笠博士は顔をしかめた。

「ウーン、もどかしいのォ…奴らが来るとわかっておるのに、手が出せんとは…」

「いや…まだ手は残ってる」

コナンが硬い表情で言い、阿笠博士は驚いて「え？」とつぶやいた。

「少々危険だけどな…」

「おいおい……まさか奴らに直接会う気じゃあ…」

阿笠博士が言った途端、車体がガクッと大きく傾いた。

ガコン、ガコンと車が一定の間隔で上下に揺れ始める。

「お、おい博士…まさかこれって…」

「あ、ああ、たぶん…」

車を路肩に停め、外に出てタイヤを確認する。

すると、右側の後輪から空気が抜けて、ぺしゃんこになっていた。

「やっぱり、パンクしておるわい…。こりゃー、スペアタイヤを近くのガソリンスタンドに電話して持って来てもらわんと…」

「大丈夫かよ？　こんな時間にこんな所にすぐには来てくれねぇぞ！」

コナンが腕時計を見て焦ると、阿笠博士がのんびりと言った。

「まあ車の中でのんびり待てばよかろう！」

「それじゃあ、受け渡し時間に間に合わねぇんだよ！」

コナンが言い募るが、阿笠博士は焦るどころか、むしろホッとした表情だ。

「きっと神様が新一君に危ないマネはするなと言っておるんじゃよ！」

その時、コナンは、車のライトが近づいてきていることに気が付いた。

「ん？」

(く…車!?)

もしかしたら、東京まで乗せて行ってもらえるかもしれない。

コナンは両腕を大きく振り、近づいて来る車に向かって「おーい!!」と声をかけた。

「どうかしたんスか？」

車がキッと停車して、左側にある運転席からドライバーが顔を出した。ニット帽をかぶり、アゴ髭をはやした、細面の男性だ。

「あ、いやちょっと車が…」

「ボク達、東京に戻りたいんだけど、乗せてってくれない？」

阿笠博士とコナンが説明すると、アゴ髭の男性は「東京？」と聞き返し、後部座席の方を振り返って聞いた。

「よォ、どーする？」

後部座席には、髪を明るく染めたショートカットの女性が、横になっていた。毛布の代わりにダウンジャケットを身体にかけている。

「いいんじゃない？　方向一緒だし…」

女性が答えると、運転席の男性は阿笠博士の方に顔を向けた。

「ジイさん、この辺の道知ってるか？」

「ええ、一応…」

「じゃあジイさんは助手席、ボウズは後ろに…」

これで、なんとか東京まで行けそうだ。阿笠博士は「スマンのォ…」と頭をかいた。

横になっていた女性が、左側の座席に座りなおして、コナンの座るスペースを空けてくれる。コナンは路肩から道路の方にまわり、車の右側のドアから後部座席に乗り込んだ。

「ゴメンね、お姉さん寝てたのに…」

コナンが謝ると、女性は「いいのよ」と笑顔を浮かべた。

「ちょっとウトウトしてただけだから…」


車は、阿笠博士とコナンを乗せ、ゴオオオ……とエンジン音を立てて雪の道路を走り始めた。

「カーッコイイ!! これってBMWっていう外国の車だよね!! お兄さんの車なの？」

後部座席のコナンが、子供らしくはしゃいだ声をあげる。

「ああ…もう乗り飽きて買い換えようと思ってるところさ！」

ドライバーの男が、ハンドルを握りながら答える。

「じゃあお金持ちだね！ この車、すっごく高いから！」

コナンが言うと、男は特に謙遜もせず「まあな…」とうなずいた。

「彼、ああ見えても大会社の跡取り息子なのよ…」

後部座席の女性が説明する。

阿笠博士が「ホ――…」と相づちを打った。

と、前方から走って来た車が、パッパァーとクラクションを鳴らした。

「ん？ おっといけね…」

どうやら、コナンたちの乗っている車は、車線を右側にはみ出ていたらしい。男が慌てて急ハンドルを切ると、車全体にグォッと重力がかかった。

ジャラ、ゴン！

どこかで鈍い音がしたが、車は無事に対向車をよけ、正しい車線の範囲内に収まった。

「危ねぇ、危ねぇ…やっぱ怖ーな、雪道は…」

運転席の男性が冷や汗をにじませる。どうやらあまり運転には慣れていないらしい。

「まぁ焦らず安全運転で行きましょう！」

阿笠博士が、引き気味に運転席の男性を励ました。

「ねぇ…今なんか変な音しなかった？」

コナンが後部座席の女性に聞くが、女性は「そお？」と首を傾げた。

「別に聞こえなかったけど…」

「どーせ、トランクに積んでる荷物がズレたんだ…気にする事はねーよ…」

軽い口調で言うと、運転席の男性はタバコの箱を手に取り、その中の一本を口にくわえた。

「ちょ、ちょっと吸わないでよ！」

後部座席の女性が、慌てて注意する。

「忘れたの⁉　私がタバコ嫌いなのを‼」

「あ、ああ悪い…そうだったな…」

女性の剣幕に押され、男はすぐにタバコを口から離した。

「あ、東京方向は左じゃよ…」

分かれ道に差し掛かり、阿笠博士がY字に分かれた道路の左側を指さした。

「おっと…」

男はハンドルを操作しながら、ハンドルの横のスイッチをカチッとまわした。ワイパーが動き出し、車が左折していく。

「雪も止んだし、三時前には着けると思うぜ…。でも何で群馬に？　お孫さんを連れてスキーっスか？」

「まあそんなところじゃ…」

男に聞かれ、阿笠博士が話を合わせてうなずく。

「いいっスねぇ…」

と言いながら、男性はカチッとスイッチを操作して、ワイパーを止めた。

男性の運転の様子を、コナンは「………」と真剣な面持ちで見つめた。

パッパァー！

またも対向車にクラクションを鳴らされる。

「おっと…」

運転席の男性は、車が右寄りになっていたことに気付いて、ハンドルを切った。対向車が、車体すれすれの位置を通っていく。右側にある助手席に座っていた阿笠は、ぎくりと身体をこわばらせた。

「ちょっと！　しっかり運転してよ!!」

後部座席の女性が身を乗り出して文句を言った。

「悪い悪い…やっぱ雪道なんて走るんじゃなかったよ…」

コナンは表情を険しくして、「………」と短く考え込んだ。それから、窓の外をのぞき込み、タイヤの位置を確認する。すると、車はまたも、センターラインぎりぎりを走っていた。

「!?」

コナンは息をのみ、後部座席の女性と、運転席の男性の様子を交互にうかがった。

(おかしい…おかしいぞ…。まさか…こいつら…)

パッパァー!

対向車から何度目かのクラクションを鳴らされ、運転席の男性は「おっと…」と慌てて車の位置を直した。

「ふう…」

運転席の男性がため息をつき、後部座席の女性は、

「もう、いい加減にしてよ!?」

と運転席のシートをつかんで文句を言った。

「さっきから何回、クラクション鳴らされてると思ってるのよ⁉」

「だから言ってんだろ？　雪道は苦手だって…」

「……」

コナンは真顔でしばらく二人の様子をうかがうと、ふっと表情を子供らしくゆるめ、運転席の男性に明るく声をかけた。

「そうだよ、お兄さん！　この車、車検前でクタクタなんだから、もっと安全運転しなきゃ！」

「え？」

運転席の男性の表情がきょとんとなる。

「そろそろやるんでしょ？　この車の車検！」

コナンが続けて言うと、運転席の男性は「あ、ああ…」とあいまいにうなずいた。

「そ、そうだったかな…？」

「えー、覚えてないの？　フロントガラスに貼ってあるシールに『2』っていう数字がついてたよ！　あのシールって、検査標章って言って、数字と色でいつまでに車検を受けなきゃいけないかがわかるようになってるんでしょ？　色は今年の色だったから、車検は今年の二月までってすぐにわかるのに…」

「あ、そうそう思い出した!!　今月中に受けろってハガキが来てたなぁ…」

コナンに話を合わせようとするかのように、男は早口にうなずいた。

「でもボウヤ、いつ見たの？　そのシールは雪で隠れているのに…」

後部座席の女性が、不思議そうに聞く。

コナンは、フロントガラスを指さした。

「ホラ、向こうから来た車とスレ違った時に見えたんだよ！　車のライトに照らされて、表の数字が裏から透けて…」

ちょうど対向車が来たところだ。ヘッドライトに照らされ、フロントガラスの中央上部に貼られたシールが透けて見える。

「え？」

裏から透けた車検のシールを見て、男は「……」と言葉を失った。そこに書かれていた数字は、「2」ではなく「5」だったのだ。

「あ、そっか！　裏から透けて見えたから『2』だと思ったけど、本当は『5』だったんだ！」

無邪気に言うと、コナンは首を傾げた。

「でも変だなぁ…2月中に車検を受けろってハガキが、お兄さんに来たんでしょ？　何でだろーね…」

「あ、いや…だからそれは…」

男性がしどろもどろになって、言葉を詰まらせる。

すかさず、後部座席の女性が口を挟んだ。

「言ったでしょ？　彼、大金持ちのボンボンだって！　だから面倒な事はみんな人任せ…適当な事言ってるけど、車検の期日なんて気にもとめてないわよ…」

その時、阿笠博士が助手席で「あ…」と声を上げた。

「今の所を右に曲がらんと、東京方面には…」

「え？」

運転席の男性は、車をバックさせるため、慌てて車を停めた。

「――ったく…ボウズがゴチャゴチャ言うから…」

「スマンのぅ…好奇心旺盛な子じゃから…」

阿笠博士がやんわりと謝る。

「ま、まあしゃーねえけどよ…」

そう言うと、運転席の男性は左側を確認しながら、「よっ…とっ…」と、右手でやりづらそうにシフトレバーを操作した。

「それよりボウヤ…さっきから、何聞いてるの？」

後部座席の女性が、コナンの左耳に入ったイヤフォンに気付いて聞いた。

「あ、コレ？　ラジオのニュースだよ！」

「ニュース？」

「うん！　いろんなニュースがあったよ！　景気回復の事とか、ビッグ大阪の新監督の事とか…」

コナンは、屈託のない笑顔を浮かべて続けた。

「逃走中の宝石強盗犯の事とかね!?」

運転席の男性が、後部座席の様子を気にしてちらりと視線をよこす。

「へエー、ニュースが好きなのね…」

後部座席の女性に乾いた口調で言われ、コナンは「うん！」と元気よくうなずいた。

「それで？　その宝石強盗犯は捕まったのか？」

「まだ群馬の辺りを逃げてるってさ！　でもきっとすぐに捕まるよ！　ホラ、検問やってるし！」

阿笠博士に聞かれ、コナンは車の前方を指さしながら答えた。

見ると、警察らしき大人が数人、道の真ん中に立って誘導棒を振っている。逃走中の宝石強盗犯を発見するため、検問を敷いているのだろう。

「免許証を拝見…」

警察の一人が、運転席に寄って来て声をかける。スーツの上からコートを羽織った、とても警察には見えない気弱そうな男だ。

「あ、ああ…」

運転席の男性が、免許証を差し出す。

受け取った警察の顔を見て、コナンは「あー！　山村刑事だー!!」と、声を上げた。

「き、君は確か、コナン君…」

山村ミサオは、ヘッポコで有名な群馬県警の刑事。以前、とある事件で関わったことがあり、コナンとは顔見知りだ。

「これって、宝石強盗犯を捕まえるための検問なんでしょ？」

コナンは、後部座席の窓を開け、顔を出して聞いた。

「あ、ああ…目出し帽をかぶった三人組の強盗犯でね、群馬の宝石店を襲った後、逃走用の盗難車を山の中に乗り捨てて、どこかに消えたんだ…。三人の中の一人はケガをしているから、遠くには行っていないと思うんだが……」

「ケガ？」

コナンが聞き返すと、山村刑事は興奮した様子で声をはずませた。

「そうなんだ!! 僕が威嚇で撃った弾が、偶然、犯人の太ももに当たっちゃったんだよ！刑事ドラマみたいにバキューンってね!!」

そこまで言うと、さすがにはしゃぎすぎたと反省したのか、山村刑事はオホンと咳ばらいをして気持ちを落ち着かせた。

「まあとにかく、その三人組は山の中に別の車を前もって用意していたか、もしくは偶然通りがかった車を奪って逃げていると思われる！ そういう怪しい連中を見なかったかい？」

「あ、知ってるよ！ 他人の車に乗ってる人でしょ？ それボク達の事だよ!!」

コナンが自分を指さして言うと、山村刑事は「え？」と戸惑いを浮かべた。

「ワシの車が山の中でパンクしてしまってのォ、通りがかったこの人達に乗せてもらったんじゃ！」

助手席で阿笠博士が言う。

山村刑事は助手席をのぞき込み、阿笠博士に気が付いて聞いた。

「あ、阿笠さん…じゃあ、あなたの車は…」

「車のディーラーに電話したら、朝、取りに来てくれるというから、キーを付けたまま山の中に置いて来たよ……」、

「だったらあんたの車ヤバくない？」

後部座席の女性が言い、阿笠博士は「え？」と振り返った。

「今ごろ、そいつらが見つけて乗ってるかもな…」

運転席の男性がつぶやく。

「そ、それは考えられますねぇ…」

山村刑事が、不安そうになる。

「じゃあ私達なんかに構ってないで、その車を見張ってた方がいいんじゃないの？」

「黄色いビートルだから見つけやすいぜ！」

後部座席の女性と、運転席の男性が口々に言うと、山村刑事は首をひねった。

「でも変ですねぇ…あなた達の声どこかで聞いたような…」

「き、気のせいよ…」

後部座席の女性が、顔を引きつらせる。

「さ、さあ、もう行っていいだろ刑事さん？」

運転席の男性が急かすが、山村刑事はしつこく後部座席をのぞき込み、「ん？」と、女性がヒザにかけたジャケットに目を留めた。

「あ、あのォ…あなたがヒザにかけてるジャケット、一応取ってくれます？」

「ちょっと…私達を疑ってるの？」

心外そうに言うと、後部座席の女性はいきおいよくジャケットをはいだ。穿いているジーパンには、血の染みらしきものはない。

「ホラ！　撃たれてなんかいないわよ！」

「そ、そうですね…。じゃあ、お気をつけてー!!」

山村刑事に見送られ、車は再び、雪道を走り出した。

その頃。

阿笠博士の家では、電話が鳴り響いていた。

コール音に起こされた灰原が、パジャマ姿で「ふぁ…」とあくびをしながら起きてくる。

「はい、阿笠ですけど…」

寝ぼけ眼をこすりながら、電話に出る。群馬県警の山村刑事からだ。

山村刑事が名乗ると、灰原は驚いて、「え？ 群馬県警？」と聞き返した。

用件は、阿笠博士のパンクした車の事だ。

『阿笠さんの話だと、後で車をディーラーに取りに来てもらうという事だったんですけど…このまま山の中に放置していたら、逃亡中の強盗犯に悪用されかねないので、一応こちらの方にレッカーで移動する事にしました……。ですから、車は県警の方に取りに来るようにとお伝えください…』

「あ、はい…」

通話を終え、灰原は受話器を置いた。

コール音が鳴っても起きて来ないと思ったら、阿笠博士はどこかに出かけていたようだ。

(こんな時間に車で群馬に行って、何やってるの?)

灰原は心の中に疑問を浮かべた。

(どーせまた工藤君にそそのかされて、何かの事件に首を突っ込んでいるのね…。まったく…寝る間も惜しんで人の粗探しとは…どこが面白いのかしら、探偵なんて…)

あきれつつ、ふあ、とあくびを一つして寝床に戻る。

と、その時、机の上に何かが置いてあることに気が付いた。

(予備の追跡眼鏡…)

ピポッと電源を入れてみる。

すると、眼鏡のレンズに、コナンの現在位置が表示された。


一方、ウォッカは、約束の賢橋駅に向かって車を走らせながら、誰かと電話をしていた。

「オウ、そうよ…物の受け取りは早まった…。今から一時間後の午前四時…場所は前と変わらず賢橋駅地下のコインロッカーだ…。ジンの兄貴にもそう伝えてくれ…」

どうやら賢橋駅での取り引きには、ジンも姿を見せるらしい。
電話の相手に何かを言われ、ウォッカは「ああ、もちろんだ…」とうなずいた。
「頭数をそろえて、拳銃を持って来い…。奴がビビって警察を呼んでるかもしれねぇし
…」
コナンが心配していた通り、黒ずくめの組織の連中は、取り引きの場所の周辺にある程度の人数をそろえるつもりでいるようだ。ウォッカは、唇の端を上げてニヤリと笑った。
「元々取引が終わったら、奴とはおさらば…。賢橋駅の構内で殺す算段だったからよォ
…」

コナンと阿笠博士を乗せた車は、無事に都内に入った。取り引きが行われる賢橋駅までは、もうすぐだ。

「そろそろ着くぜ、お二人さん…お目当ての賢橋駅に…。でも、あそこはまだ工事中だろ？　行っても電車は来ねぇぜ？」

運転席の男性が、不思議そうに阿笠博士を見る。

「え、駅の近くに家があるんじゃよ…」

苦笑いで言うと、阿笠博士はコナンの方を振り返り、声を潜めて聞いた。

「おい新一君、本当に行くのか？」

「ああ…でも、その前にやる事があるけどな…」

コナンと阿笠博士が小声で話していると、運転席の男性が気付いて、

「何だか知らねーが、俺の車ん中でヒソヒソ話は止めてくれねぇか…」

と、くわえたタバコに火をつけながら言った。

「あ、こりゃ失敬…」

阿笠博士が慌てて謝る。

「あ、バカ！　吸わないでって言ったでしょ!?」

後部座席の女性が前の方に身を乗り出し、運転席の男性に向かって声を荒らげた。

「あ、そうか…悪い悪い！　すぐ捨てるからよ…」

そう言って、運転席の男性は窓を開けた。

「コレ！　窓からポイ捨てはイカンぞ！　ちゃんと灰皿の中に入れんと…」

阿笠博士がすぐに注意して、車に備え付けの灰皿に手を伸ばした。

「あ……」

男性が止めようとするが、間に合わず、ガコッと灰皿を開けてしまう。

やけに重いと思ったら、灰皿の中には小銭がたくさん詰まっている。しかも、その上からタバコの吸い殻がたくさん捨ててあるので、小銭は灰と吸い殻にまみれていた。

「おいおい、小銭がタバコの灰と吸い殻まみれじゃないか!!」

阿笠博士はあきれて、運転席の男性をじっとにらんだ。

「いくら金持ちだからって、こんなマネをすると罰が……」

「まあ仕方ねーよ……」

後部座席のコナンが、ゆっくりと言う。

「この二人、宝石強盗犯なんだから……」

一瞬、車内が静まりかえった。

運転席の男性も、後部座席の女性も、驚いて口がきけずにいるようだ。阿笠博士はすぐに我に返り、

「な、なんじゃと!?」

と、口をあんぐりと開けて驚いた。

「たぶんこの車は、山の中で逃走用の車を乗り捨てた後に、通りがかった人から奪った車…。この車の本当の持ち主はタバコを吸わない人で、料金所とかですぐに払えるように灰皿に小銭を入れてたんだ……。それに気づかずに吸い殻を入れて灰まみれにしちまったから、小銭に気付いた後も構わず灰皿として使ってたってわけさ！　オレ達を車に乗せるまではな…」

運転席の男性がタバコを吸おうとするたび、後部座席の女性は激しい口調でとがめていた。それは、この不自然な灰皿を見られたくなかったからだ。

「バカね、ボウヤ…」

後部座席の女性は、声を震わせながら口を開いた。

「あの小銭はタバコ嫌いの私が彼にやったイタズラで…」

「この車がその兄さんのじゃないって証拠なら、他にもあるぜ…。左ハンドルに慣れてないから、いつもの運転席から見える位置を走っちまって車がセンターライン寄りになってたし、バックする時、思わず後ろが見にくい左側を振り返っていたし、右手のシフトチェンジに苦労していたのもそのせいだ！　それに、カーブを曲がる時、ウインカーを出さずにワイパーを動かしていただろ？　日本車と違って、それが左右逆に付いているのを忘れてな！」

コナンは、隣に座る女性に視線を移した。

「最初、この車に乗った時、左のドアを開ければすぐに乗せられるのに何で道路側からオレを乗せたんだって思ったけど、山村刑事の話を聞いてわかったよ…。お姉さんが座って隠してるシートには、足を撃たれて、さっきまでそこに座っていたもう一人の仲間の血がついているって事が！　その一人は恐らくトランクの中…検問を抜けるためにそこに隠れてんだ！」

次々とコナンに言い当てられ、運転席の男性も後部座席の女性も絶句してしまった。阿笠博士が、怪訝そうにコナンの方を振り返る。

「じゃ、じゃが、どうしてワシらを車に…」

「もちろんただの車ドロなら、ヒッチハイカーは乗せやしねぇが…それをわざわざ乗せたのは、検問を抜けるため！　子供と老人を連れていたら、家族旅行だと警察に思わせて油断させられるだろ？　だから気づいたんだよ、この二人の正体に！」

そう言うと、コナンは声に力を込めて続けた。

「他人の車を奪った上でそんな事をするのは…逃走中の宝石強盗犯しかいねぇってな!!!」

「へぇー…賢いじゃないのボウヤ…」

抑揚のない口調で言って、後部座席の女性は拳銃をコナンに向けた。強盗を働いたときに使ったものを、ずっと隠し持っていたのだろう。

「バレちまったらしゃーねぇな…もうしばらく俺達に付き合ってもらうぜ…」

運転席の男性が、ドスの利いた声を出す。

しかしコナンは、銃口を向けられているというのに、余裕の表情だ。それどころか、うっすらと勝ち誇った笑みを浮かべている。

阿笠博士はすっかりおびえ、後ろにいるコナンに向かって「お、おい、新一君…新一君!?」と何度も呼びかけた。

「さーて…問題はこのジジイとボウズをどこで始末するか…」

運転席の男性が楽しげに言う。

「そうねえ……この二人が行きたがってた、工事中の賢橋駅っていうのはどう？　あそこなら誰もいないし、工事の作業員は夜が明けないと来ないし…」

後部座席の女性は意地悪く笑うと、拳銃の先をぐっとコナンに近づけた。

「それよりボウヤ…。どうして群馬の検問で私達の事を警察に言わなかったの？　あの時にはもうわかってたんでしょ？　私達が宝石強盗犯だって…」

「時間をロスしたくなかったんだよ…」

コナンは、臆することなく平然と答えた。

「あそこであんたらを警察に引き渡せば、同乗してたオレ達も事情聴取されて、大事な約束に遅れちまうし…あんたらなら、いつでも捕まえられるしな…」

大事な約束というのは、もちろん、黒ずくめの組織との取り引きのことだ。コナンは、なんとしてでも組織のシッポをつかむため、あえて強盗犯たちに検問を通過させて、東京へと連れて来させたのだった。

「ヘェー。強気ね、ボウヤ…。好きよ、そういうの…」

後部座席の女性がささやく。その隣で、コナンは、パカッと腕時計型麻酔銃の照準器を開いた。

運転席の男性が「フン…」と鼻を鳴らす。

「生意気な口がたたけるのも今の内だ…。『助けてぇ』って泣いても、許してやらねぇから…な…」

言いかけた男性の首筋に、プスッと麻酔針が刺さった。

男性はガクッと身体がぐらつき、そのまま眠りについてしまう。

「え？　ちょ、ちょっと⁉」

後部座席の女性が慌てて男性の肩を揺さぶったが、男性はすでに熟睡していた。運転手を失い、車はふらふらと速度を落としながら、蛇行運転を始めてしまう。

「当分起きねーよ…麻酔針を撃ち込んだから…」

「ま、麻酔針？」

驚く女性をよそに、コナンは運転席と助手席の間に身体を入れた。

「何かにつかまってろ‼」

鋭く叫び、サイドブレーキを思いきり引っ張る。

後輪がロックされ、車はキッとタイヤをきしませながらドリフトした。

ギャギャ！

音を立てて路面を滑り、なんとか停止する。

「こ、このガキなんて事を⁉」

後部座席の女性は、ドリフト中にバランスを崩したがすぐに立て直し、銃口をコナンに向けなおした。

「やめなよ…そんなショボいモデルガンじゃ、宝石店はだませてもオレの目はごまかせねえぜ…」

コナンに銃が偽物であることを見破られ、女性はおののいた。

「な、何なの？　何なのよあんた⁉」

コナンは、強気のまなざしを女性に向けた。

「江戸川コナン…探偵さ…」

低い声でつぶやく。

まさか子供が探偵だとは思わず、女性は訳がわからないまま「た、探偵⁉」と聞き返した。

「あ、そうそう。横、気をつけて…」

コナンが、運転席の方へ移動しながら言う。

「え？」

女性が視線を向けると、そこには、大きなバックルのついたベルトがあった。先ほど車をドリフトさせたどさくさで、コナンがズボンから外して後部座席の上に置いたらしい。

ボールの射出口から、プクッとサッカーボールが飛び出す。

「ボール射出ベルトだよ…。特殊なゴムにガスが入って、サッカーボールになるんだ！　でも、このゴムは伸縮自在でね…ダイヤルを最大にすると…アドバルーン大にもなるんだぜ…」

コナンの言葉通り、サッカーボールはすごい大きさにふくれあがり、後部座席いっぱいに広がった。射出口とつながったままなので、時間が経っても空気が抜けることはない。女性は、サッカーボールと窓ガラスとの間に挟まれ、押し付けられて身動きが取れなくなってしまった。

これでひとまず、強盗犯たちを二人とも仕留めることが出来た。

「じゃあオレは行くから、博士は警察に電話してくれ！　宝石強盗犯を捕まえたってな！」

助手席の阿笠博士に指示を出すと、コナンはそのまま車を降りた。このまま歩いて賢橋駅まで向かうつもりなのだろう。

「おいおい、まさか本当に取引場所に…」

引き留めようとする阿笠博士を、コナンは「大丈夫！」と遮った。

「賢橋駅から一駅離れたここなら、警察が来ても奴らは取引を中止したりはしねぇよ…」

「いや、ワシが心配しておるのはそういう事じゃなくて…」

「んじゃあな！　何かあったら探偵バッジで連絡すっから、それまで賢橋駅に近づくんじゃねえぞ!!」

「お、おい、新一君!?」

阿笠博士が止めようとするのも聞かず、コナンは走って行ってしまう。

コナンは着ていたパーカーのフードをかぶり、雪の積もった歩道をひた走った。賢橋駅まではそれほど遠くないが、約束の四時が迫ってきている。

なんとかウォッカよりも早く、待ち合わせのコインロッカーに着いていなければならないが——果たしてコナンは間に合うのだろうか？

明け方。

ウォッカの運転する車は、約束の賢橋駅のすぐそばまで来ていた。

「そろそろ時間だ…」

腕時計で時間を確認すると、仲間へと電話をかける。

「よーし、駅の周りを固めろ…。ネズミ一匹出すんじゃねえぞ…」

電話を終えると、ウォッカは懐中電灯の明かりをつけた。

コッコッと靴音を立てて、賢橋駅の地下へと続く階段を降りて行く。工事が再開されるのは朝なので、駅の中は真っ暗だ。

約束のコインロッカーにたどり着き、辺りを懐中電灯の明かりで照らす。しかし、人の気配はどこにもなかった。ウォッカの口から、ちっと舌打ちが漏れる。

「板倉の野郎…まだ来てねえじゃねーか…。ん？」

ウォッカは、待ち合わせの目印に指定した0032番のコインロッカーに目を留めた。ロッカーの扉に、何か紙きれが挟まっていたのだ。

「小切手？　板倉にくれてやった額と同じじゃねぇか…」

一体どういうことかと、コインロッカーの扉を開けて中を確認する。すると、そこには、システムソフトの入ったCD－ROMが置いてあった。

「こいつは板倉に作らせていた、例のシステムソフト！　馬鹿な奴だ…。金を手離した上に、ビビッて物だけ置いて行くとはな…」

嘲笑うように言い、ウォッカは口にくわえていたタバコをペッと地面に吐いた。

ハァ…ハァ…ハァ…

乱れた息を整えながら、ウォッカの様子をうかがう人影があった。

コナンだ。コナンは何とかウォッカより先に賢橋駅に到着し、システムソフトや小切手をセットしたあと、コインロッカーの陰に隠れてウォッカが来るのを待っていたのだった。

ウォッカは、システムソフトと小切手は板倉が用意したものと信じて疑っていないようだ。

（おーし、もらった!!!）

コナンはニヤリと笑った。

システムソフトの入ったＣＤ－ＲＯＭは、ロッカーの中に粘着テープで固定されている。

ウォッカは手袋を外すと、カリカリと粘着テープをはがしながら、仲間に電話をかけた。

「ああ俺だ…。板倉の野郎がまだこの近くをうろついてるはずだ…。取っ捕まえて、ここに引きずって来い…」

電話の相手が何か言って、ウォッカは「なに？」と声を荒らげた。

「駅の構内に入ったのは、酔っ払い四、五人とガキ一人だけだと⁉　そんなはずはねえ、捜せ‼」

その時。

ウォッカの後頭部に、グッと何か固いものが押し付けられた。銃口だ。

「何の真似だ…」

低い声が響く。

銃を握っているのは、ジンだった。

「あ、兄貴⁉」

ウォッカは電話を耳から離し、うろたえながら、ゆっくりと振り返った。

(ジン‼)

コナンは緊迫した表情で、二人の様子をうかがう。

ジンは、銃口をウォッカのアゴに突き付け、低い声で言った。

「取引は明日0時のはずだぞ…」

「や、奴が明日はマズイってごねたから、この時間に変えたんでさァ…」

「ホォ――…奴とメールを交わして、いいようにあしらわれたというわけか…」

冷たくにらまれ、ウォッカは「い、いや」と慌てて否定した。

「時間を決めたのはこっちですぜ…。あいつ、例の別荘でメールを受け取りやがって、雪で停電したなんてほざきやがるから電話で直に……」

「……」

ジンは黙って銃口を下ろした。

「や、奴は殺しそこねやしたけど、ちゃんと目当てのソフトは手に入れやしたし…」

そう言って、ウォッカは粘着テープで固定されていたシステムソフトをバコッと取り外した。

「奴の心臓はかなり悪い…放っといても、どーせその内おっ死んじまうと…」

ジンはウォッカの手からシステムソフトを受け取ると、冷ややかに聞いた。

「このソフトのケースが、どうしてテープで固定されていたかわかるか？」

「え？」

「おまえの指紋を取るためだ…。手袋をはめたままじゃ、テープははがせねぇからな…」

「え!?」

ウォッカは驚いて、システムソフトが固定されていた粘着テープを見つめた。確かに、システムソフトが入ったCD－ROMのケースはかなりしっかり固定されていたので、はがすために、ウォッカは何度も素手でテープを触らなければならなかった。

ジンは、ウォッカが捨てたタバコの吸い殻を拾った。

「そして待ち合わせ相手が見あたらなければ、おまえはイラついて煙草に火をつける…こいつの唾液を調べればわかるだろうな、おまえの血液型も…。おっと…根城も嗅ぎ付ける気だ…」

システムソフトが入ったCD－ROMのケースを解体する。すると、内側に何か小さな機械のようなものが貼り付けられていた。

「見ろ！　ケースの内側に発信機だ…。こいつはとんだキツネだぜ…」

「い、板倉の野郎…」

ウォッカが、ギリッと歯ぎしりして悔しがる。

ジンは、発信機をはがして地面に捨てると、

「いや、板倉じゃねぇ…」

と冷静に告げた。

「温度差が激しいと、交感神経が刺激され、心臓に負担がかかる…。心臓を病んでいる男

が、わざわざ雪が吹雪く群馬の山奥の別荘に行きはしねぇよ…」

「だったら俺が電話で話した男は…」

「恐らく、奴が雇った切れ者の誰かだろうが…ドジを踏みやがった…」

「え？」

ウォッカが、きょとんとした表情を浮かべる。

ジンはつけていた手袋を外し、素手でＣＤ－ＲＯＭのケースに触れた。

「このケース、一応指紋は拭き取ったようだが、まだ生暖かい…。つまりこの近辺に身を潜めているという事だ…」

コインロッカーの陰に身を潜めていたコナンは、ぎくりと身体をすくめた。

「おまえはそっちから回り込め…」

ジンがウォッカに指示を出し、ゆっくりとこちらに向かって歩いてくる。その手には、拳銃が握られたままだ。

（やべぇ…こっちへ来る!!）

ジンとウォッカは、並んだコインロッカーの間を懐中電灯で照らして、一列ずつ確認しながら、少しずつコナンの方へと近づいていた。

(どうする？　どうする⁉　どうする⁉)

足音は、もうすぐそこまで来ている。どこかに身を隠さなければ、このままでは見つかってしまうだろう。

コナンは焦って、辺りを見まわし、背後のコインロッカーに目を留めた。鍵があいている。

「‼」

とっさに、ロッカーの中に入り、扉を閉める。

間一髪のところで、ジンとウォッカがやって来た。

「い、いませんぜ、兄貴…」

ウォッカは、コナンが入っているロッカーがある辺りを懐中電灯で照らしながら、不思議そうに首をかしげた。

ここが、並んだコインロッカーの、一番奥の列だ。

ジンは、銃を構えると、コインロッカーの扉を端から一つずつ開け始めた。

「あ、兄貴？」

ウォッカが戸惑うが、ジンは無言で、ガチャガチャと扉を開けていく。

コナンはどうすることも出来ずに、息を詰めた。

ジンがとうとう、コナンが中にいるコインロッカーの扉に手をかけた――が。

「フン…大の大人がこんな所に隠れられるわけねえか…」

自嘲して言うと、ジンは扉をほとんど開けずに、パタンと外から閉めてしまった。

「まあいい…姿を変えてズラかるぞ…。警察を呼んでいるかもしれねえし…」

「え？　板倉が雇ったその男がですかい？」

「ああ…次はねぇと思って気をつけろ……」

ウォッカに忠告すると、ジンはくるりと踵を返してコインロッカーに背を向け、ゆっくりと歩を進めた。

「どうやら組織の事を嗅ぎ回っている野郎がいるようだ…探偵のようなキツネがな…」

探偵――自分のことを言い当てられたような気がして、コナンはコインロッカーの中で身体を固くした。

ジンとウォッカの足音が去って行く。

（どうする？　後をつけるか？）

コナンは自問して、すぐに（いや）と否定した。

（まだ早い…そうみせかけて、待ち伏せてるかもしれねぇ…。でも何なんだ…奴らは何をしようとしてんだ…？　灰原は妙な薬を作らされていたけど、板倉さんはＳＥ…薬とは関係ねえじゃねぇか…）

ハア、ハア……

コナンの息はどんどん荒くなっていった。なんとか思考を巡らせようとするが、次第に意識が薄れ、ぼんやりとしてしまう。

（人間のために断念したソフト…。いったいそれは…）

その頃、阿笠博士は、強盗犯の二人を無事に警察に引き渡していた。

「いやぁ、お手柄ですな、阿笠さん！」

駆け付けた目暮警部に褒められ、阿笠博士は、

「ええ、まぁ…」

と頭をかいた。

今は、強盗犯よりも、出て行ったコナンの行方の方が気になって仕方ない。

「お疲れのところすみませんが、事情聴取に付き合ってもらいますぞ！」

目暮警部に言われ、阿笠博士は「あ、はい…」とうなずいた。

内ポケットに入れた探偵バッジを確認するが、コナンからの連絡はない。賢橋駅で、何かあったのだろうか。

（新一君…どうしたんじゃ、新一君⁉）

コッ、コッ、コッ……

誰かの足音が近づいて来るのを聞いて、コナンはハッと我に返った。まだコインロッカーの中だ。

（ん？　足音⁉　だ、誰か…誰か近づいて来る…）

見つかる前にここから逃げたいが、どういうわけか身体がずっしりと重たくて、思うように動けない。

何者かが、ガッと、コインロッカーの扉に手をかける。

（く、くそ…体が…動かねぇ…）

キィイイ……

扉がゆっくりと開いていく。そこにいたのは――

「は、灰原⁉」

扉を開けたのは、灰原だった。

「何してんのよ、こんな所で…」

灰原が、コナンを見下ろして聞く。

「お、おまえこそ、どうしてここへ？」

早口に聞きながら、コナンはなんとかコインロッカーの中から這い出た。どうして灰原がこんな未明にここにいるのか、訳がわからない。

「朝になっても博士もあなたも戻って来ないから、予備の追跡眼鏡であなたの探偵バッジを頼りに捜しに来たのよ！」

そう言って、灰原が追跡眼鏡を見せる。

「あ、朝だと⁉」

コナンは驚いて、周りを見まわした。確かに、真っ暗だった照明が、いつの間にか明るくなっている。工事が始まったらしく、現場のスタッフらしき大人が二人、作業着を着て近くにしゃがみこんでいた。

「お嬢ちゃん、お友達は見つかったかい？」

スタッフに聞かれ、灰原は「ええ…」とうなずいた。

「じゃあ、工事の邪魔だから外に出た出た！」

どうやら灰原は、友達を探していると嘘をついて、工事中の駅の中に入って来たようだ。

コナンはダッと駆け出した。


「あ、ちょっ…」

灰原が止めるのも聞かず、一目散に階段を駆け上がる。

駅の外に出ると、たくさんの通勤客が歩いていた。灰原の言った通り、もうすっかり朝になっている。


（そうか…。酸欠になって、あの中で気を失っちまったんだ…）

ジンが外からコインロッカーの扉を閉めたので、酸素が足りなくなって、中にいたコナンは酸欠状態に陥ってしまったのだ。

「で？　何やってたのよ？　あんな所で…」

追いかけてきた灰原が、不審そうに尋ねてくる。

「あ、ああ…。寝てなかったからちょっと仮眠を…」

コナンが苦しい言い訳を述べると、灰原はますます怪しむ目つきになった。

「それ、答えになっていると思ってるの?」

「まあ、いいじゃねーか…」

コナンが苦笑いでごまかしながら歩き出す。

灰原は隣を歩きながら追及を続け、コナンはあたふたと、適当な言い訳を並べてかわし続けた。

そんな二人の姿を、人混みに紛れて見つめる、背の高い人影があった。

赤井秀一だ。赤井が耳に差し込んだイヤフォンから、ニュースの音声が漏れてくる。

『次のニュースです…。昨日、午後5時ごろ、都内のホテルの一室で男性の遺体が発見されました…。亡くなったのは、CGデザイナーで有名な板倉卓さん45歳…』

ニュースを聞きながら、赤井は(まさかな…)と心の中でつぶやき、灰原とコナンに視線をそそいだ。

歩いていた灰原は、背後に黒ずくめの組織の気配を感じ、（え？）と反応して足を止めた。しかし、振り返った時にはもう、赤井は雑踏の中に紛れ込んでいる。

「ん？　どうした？」

コナンに聞かれ、灰原はもう一度、人混みの中に目を凝らした。しかし、見知った顔や怪しい人物などは見当たらない。気配を感じたと思ったのは、気のせいだったのだろうか？

「…いや…なんでもないわ…」

あいまいに答え、灰原は再び歩き出した。

The black organization remains mystery…

Shogakukan Junior Bunko 

★小学館ジュニア文庫★

名探偵コナン

黒ずくめの組織セレクション　黒の策略（コンスピラシー）

2021年11月3日　初版第1刷発行

著者／酒井 匙
原作・イラスト／青山剛昌

発行人／野村敦司
編集人／今村愛子
編集／山口久美子

発行所／株式会社　小学館
〒101-8001　東京都千代田区一ツ橋2－3－1
電話／編集　03-3230-5105
販売　03-5281-3555

印刷・製本／中央精版印刷株式会社

デザイン／石沢将人＋ベイブリッジ・スタジオ

Printed in Japan　　ISBN 978-4-09-231390-3

★「小学館ジュニア文庫」を読んでいるみなさんへ★

この本の背にあるクローバーのマークに気がつきましたか？

オレンジ、緑、青、赤に彩られた四つ葉のクローバー。これは、小学館ジュニア文庫のマークです。そして、それぞれの葉の色には、私たちがジュニア文庫を刊行していく上で、みなさんに伝えていきたいこと、私たちの大切な思いがこめられています。

オレンジは愛。家族、友達、恋人。みなさんの大切な人たちを思う気持ち。まるでオレンジ色の太陽の日差しのように心を暖かにする、人を愛する気持ち。

緑はやさしさ。困っている人や立場の弱い人、小さな動物の命に手をさしのべるやさしさ。緑の森は、多くの木々や花々、そこに生きる動物をやさしく包み込みます。

青は想像力。芸術や新しいものを生み出していく力。立場や考え方、国籍、自分とは違う人たちの気持ちを思い、協力しあうことも想像の力です。人間の想像力は無限の広がりを持っています。まるで、どこまでも続く、澄みきった青い空のようです。

赤は勇気。強いものに立ち向かい、間違ったことをただす気持ち。くじけそうな自分の弱い気持ちに立ち向かうことも大きな勇気です。まさにそれは、赤い炎のように熱く燃え上がる心。

四つ葉のクローバーは幸せの象徴です。愛、やさしさ、想像力、勇気は、みなさんが未来を切りひらき、幸せで豊かな人生を送るためにすべて必要なものです。

体を成長させていくために、栄養のある食べ物が必要なように、心を育てていくためには読書がかかせません。みなさんの心を豊かにしていく本を一冊でも多く出したい。それが私たちジュニア文庫編集部の願いです。

みなさんのこれからの人生には、困ったこと、悲しいこと、自分の思うようにいかないことも待ち受けているかもしれません。どうか「本」を大切な友達にしてください。どんな時でも「本」はあなたの味方です。そして困難に打ち勝つヒントをたくさん与えてくれるでしょう。みなさんが「本」を通じ素敵な大人になり、幸せで実り多い人生を歩むことを心より願っています。

小学館ジュニア文庫編集部

★小学館ジュニア文庫★ ワクワク、ドキドキがいっぱいのラインナップ

〈大人気！「名探偵コナン」シリーズ〉

名探偵コナン　瞳の中の暗殺者
名探偵コナン　天国へのカウントダウン
名探偵コナン　迷宮の十字路
名探偵コナン　銀翼の奇術師
名探偵コナン　水平線上の陰謀
名探偵コナン　探偵たちの鎮魂歌

名探偵コナン　紺碧の棺
名探偵コナン　戦慄の楽譜
名探偵コナン　漆黒の追跡者
名探偵コナン　天空の難破船
名探偵コナン　沈黙の15分
名探偵コナン　11人目のストライカー
名探偵コナン　絶海の探偵

名探偵コナン　異次元の狙撃手

名探偵コナン　業火の向日葵
名探偵コナン　純黒の悪夢
名探偵コナン　から紅の恋歌
名探偵コナン　ゼロの執行人

名探偵コナン　紺青の拳
ルパン三世VS名探偵コナン　THE MOVIE

名探偵コナン　江戸川コナン失踪事件 史上最悪の二日間
名探偵コナン　コナンと海老蔵 歌舞伎十八番ミステリー
名探偵コナン　エピソード"ONE" 小さくなった名探偵
名探偵コナン　紅の修学旅行

次はどれにする？ おもしろくて楽しい新刊が、続々登場!!

名探偵コナン　大怪獣ゴメラVS仮面ヤイバー

名探偵コナン　ブラックインパクト！ 組織の手が届く瞬間

名探偵コナン　緋色の弾丸

小説　名探偵コナン　CASE1～4

名探偵コナン　安室透セレクション ゼロの推理劇

名探偵コナン　怪盗キッドセレクション 月下の予告状

名探偵コナン　京極真セレクション 蹴撃の事件録

名探偵コナン　赤井秀一セレクション 赤と黒の攻防

名探偵コナン　赤井一家セレクション 緋色の推理記録

名探偵コナン　世良真純セレクション 異国帰りの転校生

名探偵コナン　赤井秀一緋色の回顧録セレクション 狙撃手の極秘任務

名探偵コナン　黒ずくめの組織セレクション 黒の策略

まじっく快斗1412　全6巻

★小学館ジュニア文庫★ ワクワク、ドキドキがいっぱいのラインナップ

〈ジュニア文庫でしか読めないオリジナル〉

愛情融資店まごころ　全3巻
アイドル誕生！～こんなわたしがAKB48に!?～
アズサくんには注目しないでください！

あの日、そらですきをみつけた
いじめ　14歳のMessage
1話3分　こわい家、あります。　くらやみくんのブラックリスト
1話3分　こわい家、あります。　くらやみくんのブラックリスト 2
1話3分　こわい家、あります。　くらやみくんのブラックリスト 3

おいでよ、花まる寮！
お悩み解決！ ズバッと同盟　全2巻
緒崎さん家の妖怪事件簿　全4巻

華麗なる探偵アリス&ペンギン
華麗なる探偵アリス&ペンギン　ワンダー・チェンジ！
華麗なる探偵アリス&ペンギン　ミラー・ラビリンス
華麗なる探偵アリス&ペンギン　サマー・トレジャー
華麗なる探偵アリス&ペンギン　トラブル・ハロウィン
華麗なる探偵アリス&ペンギン　ペンギン・パニック！
華麗なる探偵アリス&ペンギン　ミステリアス・ナイト
華麗なる探偵アリス&ペンギン　アリスVS.ホームズ！
華麗なる探偵アリス&ペンギン　アラビアン・デート
華麗なる探偵アリス&ペンギン　パーティ・パーティ
華麗なる探偵アリス&ペンギン　ホームズ・イン・ジャパン
華麗なる探偵アリス&ペンギン　ウィッチ・ハント！
華麗なる探偵アリス&ペンギン　ファンシー・ファンタジー
華麗なる探偵アリス&ペンギン　リトル・リドル・アリス
華麗なる探偵アリス&ペンギン　ゴースト・キャッスル
華麗なる探偵アリス&ペンギン　ウエルカム・ミラーランド
華麗なる探偵アリス&ペンギン　ウィッシュ・オン・ザ・スターズ
ギルティゲーム　全6巻

銀色☆フェアリーテイル　全3巻
きんかつ！　全2巻
ぐらん×ぐらんぱ！ スマホジャック　全2巻
ここはエンゲキ特区！
さくら×ドロップ　レシピ1：チーズハンバーグ
ちえり×ドロップ　レシピ1：マカロニグラタン
みさと×ドロップ　レシピ1：チェリーパイ
さよなら、かぐや姫～月とわたしの物語～
12歳の約束
女優猫あなご
白魔女リンと3悪魔　全10巻
世界の中心で、愛をさけぶ
ぜんぶ、藍色だった。

そんなに仲良くない小学生4人は謎の島を脱出できるのか!?

探偵ハイネは予言をはずさない

月の王子　砂漠の少年
転校生　ポチ崎ポチ夫
天才発明家ニコ&キャット　全2巻
TOKYOオリンピック　はじめて物語
謎解きはディナーのあとで　全3巻
のぞみ、出発進行!!

はろー！　マイベイビー

パティシエ志望だったのに、シンデレラのいじわるな姉に生まれ変わってしまいました！
大熊猫ベーカリー　パンダと私の内気なクリームパン！
大熊猫ベーカリー　盗まれたひみつのレシピ
ホルンペッター
ぼくたちと駐在さんの700日戦争　ベスト版　闘争の巻
ミラクルへんてこ小学生　ポチ崎ポチ夫

メチャ盛りユーチューバーアイドルいおん☆
メデタシエンド。　全2巻
ゆめ☆かわ　ここあのコスメボックス　全6巻
夢は牛のお医者さん

4分の1の魔女リアと真夜中の魔法クラス　まさかの魔法使いデビュー！

リアル鬼ごっこ リプレイ

レベル1で異世界召喚されたオレだけど、攻略本は読みこんでます。
レベル1で異世界召喚されたオレだけど、なぜか新米魔王やってます

わたしのこと、好きになってください。

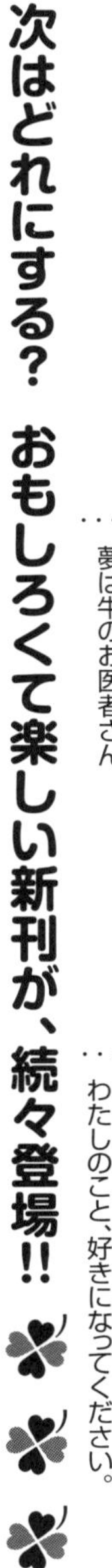

真田十勇士
シンドバッド　全2巻
呪怨―ザ・ファイナル―
呪怨―終わりの始まり―
小説 イナズマイレブン　アレスの天秤　全4巻
小説 イナズマイレブン　オリオンの刻印　全4巻
小説　おそ松さん　6つ子とエジプトとセミ
小説 二月の勝者　―絶対合格の教室― 春夏の陣

スナックワールド　全3巻
世界からボクが消えたなら　映画「世界から猫が消えたなら」キャベツの物語
世界から猫が消えたなら
NASA超常ファイル　～地球外生命からの挑戦状～
二度めの夏、二度と会えない君

8年越しの花嫁　奇跡の実話

花にけだもの
花にけだもの Second Season
ヒノマルソウル　～舞台裏の英雄たち～

響―HIBIKI―
ぼくのパパは天才なのだ　「深夜！天才バカボン」ハジメちゃん日記
ポケモン・ザ・ムービーXY　破壊の繭とディアンシー
ポケモン・ザ・ムービーXY　光輪の超魔神フーパ
ポケモン・ザ・ムービーXY&Z　ボルケニオンと機巧のマギアナ
劇場版ポケットモンスター　キミにきめた！
劇場版ポケットモンスター　みんなの物語

名探偵ピカチュウ
ミュウツーの逆襲 EVOLUTION
劇場版ポケットモンスター ココ

ポッピンQ
未成年だけどコドモじゃない
MAJOR 2nd 1　二人の二世
MAJOR 2nd 2　打倒！東斗ボーイズ
ラスト・ホールド！
レイトン　ミステリー探偵社　～カトリーのナゾトキファイル～1～4

★小学館ジュニア文庫★ ワクワク、ドキドキがいっぱいのラインナップ

〈みんな大好き♡ディズニー作品〉

アナと雪の女王 〜同時収録 短編 エルサのサプライズ〜
アナと雪の女王2

アナと雪の女王 〜ひきさかれた姉妹〜
あの夏のルカ

アラジン

クルエラ

ジャングル・ブック
ソウルフル・ワールド
ダンボ
ディズニーツムツムの大冒険 全2巻
ディズニーヴィランズのこわい話 アースラ 悪夢の契約書
ディズニーヴィランズのこわい話 フック船長 12歳、永遠の呪い

ディセンダント 全3巻
トイ・ストーリー
塔の上のラプンツェル
ナイトメアー・ビフォア・クリスマス
2分の1の魔法
眠れる森の美女 〜目覚めなかったオーロラ姫〜
美女と野獣 〜運命のとびら〜(上)(下)
ファインディング・ドリー
ファインディング・ニモ
マレフィセント2 〜同時収録 マレフィセント〜
ムーラン
モンスターズ・インク
モンスターズ・ユニバーシティ
ラーヤと龍の王国
ライオン・キング
わんわん物語

〈全世界で大ヒット中！　ユニバーサル作品〉

怪盗グルーの月泥棒
怪盗グルーのミニオン危機一発
怪盗グルーのミニオン大脱走

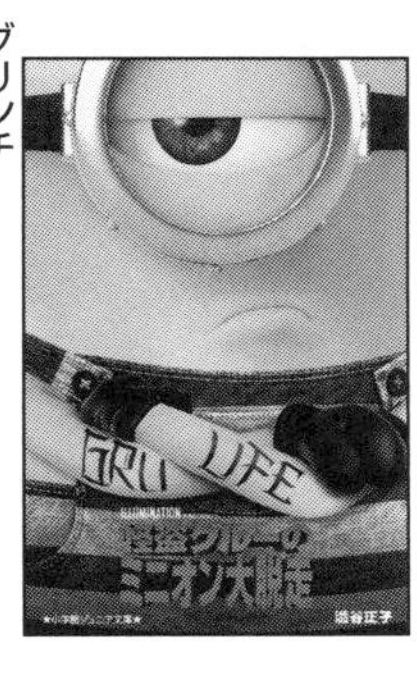

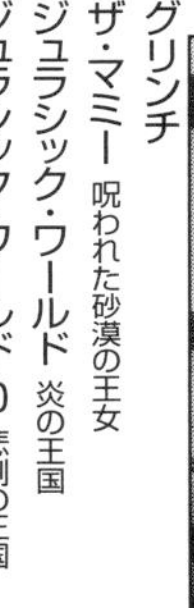

グリンチ
ザ・マミー　呪われた砂漠の王女
ジュラシック・ワールド　炎の王国
ジュラシック・ワールド　O　悲劇の王国
ジュラシック・ワールド　サバイバル・キャンプ

SING シング
トロールズ
ペット
ペット2

ボス・ベイビー
ボス・ベイビー　～ビジネスは赤ちゃんにおまかせ～　1～2

ミニオンズ

〈たくさん読んで楽しく書こう！　読書ノート〉

アナと雪の女王2　読書ノート
すみっコぐらしの読書ノート
すみっコぐらしの読書ノート　ぱーと2
コウペンちゃん読書ノート
ドラえもんの夢をかなえる読書ノート

名探偵コナン読書ノート

★小学館ジュニア文庫★ ワクワク、ドキドキがいっぱいのラインナップ

〈思わずうるうる…感動ストーリー〉

奇跡のパンダファミリー ～愛と涙の子育て物語～

きみの声を聞かせて 猫たちのものがたり―まぐ・ミクロ・まる―

こむぎといつまでも―余命宣告を乗り越えた奇跡の猫ものがたり―

天国の犬ものがたり～ずっと一緒～

天国の犬ものがたり～わすれないで～

天国の犬ものがたり～未来～

天国の犬ものがたり～夢のバトン～

天国の犬ものがたり～ありがとう～

天国の犬ものがたり～天使の名前～

天国の犬ものがたり～僕の魔法～

天国の犬ものがたり～笑顔をあげに～

天国の犬ものがたり～はじめまして～

天国の犬ものがたり～扉のむこう～

天国の犬ものがたり～幸せになるために～

天国の犬ものがたり～HOME ホーム～

天国の犬ものがたり～いつも一緒～

動物たちのお医者さん

わさびちゃんとひまわりの季節

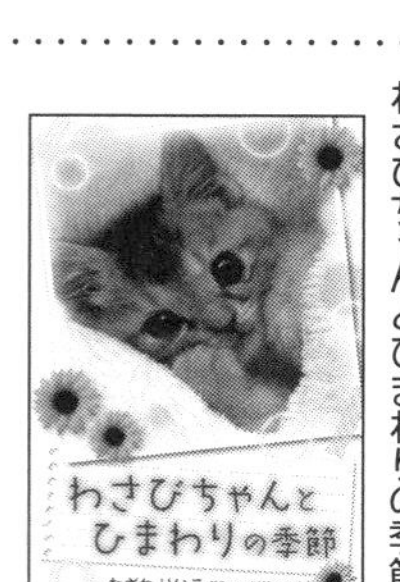

〈この人の人生に感動！人物伝〉

井伊直虎 ～民を守った女城主～